新看護学

6

基礎看護［2］

基礎看護技術 I

● 執筆

水戸　優子　　神奈川県立保健福祉大学教授

塚本　尚子　　上智大学教授

片桐由紀子　　上智大学助教

工藤みき子　　昭和大学講師

渡邉　　彩　　上智大学助手

金　　壽子　　前神奈川県立保健福祉大学准教授

渡邉　　惠　　神奈川県立保健福祉大学講師

医学書院

発行履歴

1970 年 2 月 1 日　第 1 版第 1 刷	1990 年 1 月 6 日　第 9 版第 1 刷
1971 年 2 月 1 日　第 1 版第 2 刷	1992 年 2 月 1 日　第 9 版第 4 刷
1972 年 2 月 1 日　第 2 版第 1 刷	1993 年 1 月 6 日　第 10 版第 1 刷
1974 年 2 月 1 日　第 2 版第 4 刷	1997 年 2 月 1 日　第 10 版第 5 刷
1975 年 2 月 1 日　第 3 版第 1 刷	2000 年 1 月 6 日　第 11 版第 1 刷
1976 年 2 月 1 日　第 4 版第 1 刷	2001 年 2 月 1 日　第 12 版第 1 刷
1977 年 2 月 1 日　第 4 版第 3 刷	2005 年 2 月 1 日　第 12 版第 7 刷
1978 年 2 月 1 日　第 5 版第 1 刷	2006 年 1 月 6 日　第 13 版第 1 刷
1980 年 4 月 1 日　第 5 版第 5 刷	2011 年 5 月 1 日　第 13 版第 9 刷
1981 年 1 月 6 日　第 6 版第 1 刷	2012 年 1 月 6 日　第 14 版第 1 刷
1983 年 2 月 1 日　第 6 版第 4 刷	2015 年 2 月 1 日　第 14 版第 5 刷
1984 年 1 月 6 日　第 7 版第 1 刷	2016 年 1 月 15 日　第 15 版第 1 刷
1987 年 1 月 6 日　第 7 版第 6 刷	2019 年 2 月 1 日　第 15 版第 4 刷
1988 年 1 月 6 日　第 8 版第 1 刷	2020 年 1 月 6 日　第 16 版第 1 刷
1989 年 2 月 1 日　第 8 版第 3 刷	2021 年 2 月 1 日　第 16 版第 2 刷

新看護学6　基礎看護[2]

発　　　行　2022 年 1 月 6 日　第 17 版第 1 刷Ⓒ
　　　　　　2024 年 2 月 1 日　第 17 版第 3 刷

著 者 代 表　水戸優子
発 行 者　株式会社　医学書院
　　　　　　代表取締役　金原　俊
　　　　　　〒113-8719　東京都文京区本郷 1-28-23
　　　　　　電話　03-3817-5600（社内案内）
　　　　　　　　　03-3817-5657（販売部）
印刷・製本　大日本法令印刷

はしがき

カリキュラム改正

　本書は，1970年に初版が発行されて以来，看護を取り巻く社会の変化に伴って改訂を重ねてきた。

　2022年度から開始されるカリキュラムでは，教育の基本的考え方について，保健・医療・福祉を取り巻く状況等をふまえた内容の明確化がはかられた。それに伴って，2002年度から専門基礎科目に位置づけられていた「看護と倫理」と「患者の心理」が，「基礎看護」のなかで教育されることになった。

　今回の改訂においては，カリキュラムの改正の意図を吟味し，「基礎看護」はこれまでの3巻構成を抜本的に見直すこととなった。その結果，大幅に内容を拡充・刷新して4巻構成に再編成するにいたった。

学習にあたって

　看護は，たとえば，親が子どもの世話をし，育て，ぐあいがわるいときには付き添い，見まもるという，本能的な愛情ややさしさから発生する，ある意味では誰にでもできる行為である。ただし，看護を専門職として行おうとすると，専門的知識とすぐれた看護技術をもち，しかも他人である対象者に関心を向けて，やさしさや，ときには厳しさをもって援助ができなくてはならない。

　本書を手にする皆さんは，そのような専門職としての看護を目ざして学習に取り組もうとしている。それは，けっして簡単なことではないだろう。しかし，技術を身につけて専門的でよい看護を提供することで，対象者は健康を回復，維持・増進し，あるいは安らかな死を迎えることができる。その過程をともにすることで看護職は対象者から影響を受け，学び，癒され，人間として成長するのである。それが看護のやりがいとなり，看護職を継続する意欲へとつながる。そのような看護職を目ざして，ぜひとも学習を積み重ねてほしい。

改訂の趣旨

　今回の「基礎看護技術」の改訂では，新しいカリキュラムにおける「基礎看護」の内容・教育時間数の拡充に伴って，『新看護学6　基礎看護[2]　基礎看護技術Ⅰ』と『新看護学7　基礎看護[3]　基礎看護技術Ⅱ』の2巻構成へ移行することとなった。

　改訂にあたっては，新カリキュラムに適合する基礎看護技術とはなにかを検討し，新たに策定された「准看護師に求められる実践能力と卒業時の到達目標」も参考に，1人の准看護師として看護実践の場にたつための知識・技術とはなにかを意識し，項目の刷新と整理をおこなった。

　第17版における『新看護学6　基礎看護[2]　基礎看護技術Ⅰ』のおもな編集方針は次の通りである。

(1) 患者等の心理を理解し，信頼関係を深めることができるコミュニケーション技術を身につけるための内容を盛り込んだ。患者の心理やコミュニケーションの技法の基礎知識をまとめるとともに，臨床で遭遇しやすい場面を題材とした事例を用いて，そのポイントを解説した。

(2) 臨床で看護師とともに業務にあたることを念頭に，「看護過程」（第3章C節）を節として独立させた。

(3) 各節末の「復習問題」を拡充し，基礎的な知識の定着をはかれるように目ざした。

　編集にあたっては，表現の煩雑さを避けるため，特定の場合を除き，看護師・准看護師に共通する事項は「看護師」と表現し，准看護師のみをさす場合には「准看護師」として示した。また，保健師・助産師などを含めた看護の有資格者をさす場合は「看護職」，広く看護を行う者をさす場合には「看護者」とした。なお，執筆にあたっては，全国の准看護学校から寄せられた貴重なご意見を尊重し，項目の設定や内容を検討する際に参考にさせていただいた。ここであらためて御礼申し上げる。

　本書は，「教科書に書いてある技術と臨床現場で必要とされる技術は別ものだ」とはならないよう，できるだけ現在の，あるいはこれからの臨床現場で必要とされる基本技術と内容を選定した。その構成は，用語の定義，目的，メカニズム，必要物品，事前準備，手順，あとかたづけというように，知識習得から実施までを時系列で示したものとなっている。これによって学生の皆さんが，メカニズムや根拠をふまえて，看護技術を効果的・効率的に習得することを期待する。しかしながら，本書の内容はまだまだ洗練させる必要がある。学生や教員，有識者の方々からの率直なご意見をいただければ幸いである。

　2021年10月

著者ら

目次

第2章
看護を安全に実施するための知識・技術

水戸優子・片桐由紀子　　**61**

第 **3** 章
対象者の観察と
看護の展開のための技術

金壽子・渡邉惠・水戸優子　　**110**

A．身体および心理・社会的側面の観察

撮影協力

国家公務員共済組合連合会　横須賀共済病院

序 章 看護技術とはなにか

「**看護技術**」とはなにか，考えてみよう。「技術」の一般的な意味合いをみると，「科学を原理として物を生産する仕方」「客観的法則性の意識的適用」というように，**原理や法則をもつ方法**であるというものや，「ものごとを巧みに行うわざ」「スキル（技能）」というように，「**わざ**」であるというものなどがあり，「技術」のあらわす意味はさまざまである。広い意味をもつうえに，その 冠 に「看護」がつくのだから，「看護技術」の意味合いはさらに複雑で理解しにくい。そこで，専門的看護の原点に立ち返り，ナイチンゲール F. Nightingale（1820～1910）の言葉を引用してみたい。

ナイチンゲール● による定義　ナイチンゲールは著書『看護覚え書』のなかで，「看護」について次のように述べている。

> （省略）……しかし看護とは，新鮮な空気や陽光，暖かさや清潔さや静かさを適正に保ち，食事を適切に選び管理する——すなわち，患者にとっての生命力の消耗が最小になるようにして，これらすべてを適切に行うことである，という意味を持つべきなのです。[1]（下線は著者）

この文章のあとに，ナイチンゲールは看護技術 the art of nursing のことを，上記を実現するための**行為**であり，さらには衛生や建築，管理上の整備の活動をも含んだものであると述べている。これが書物に残るはじめての看護技術の定義であり，「**the art**」とよんでいることからすると，芸術性や創造性を含んだ意味合いをもって用いたことがうかがわれる。

日本看護科学● 学会による 定義　では，現代で用いられている看護技術の定義をみてみよう。日本看護科学学会の 1995 年における看護技術 nursing art の定義は次のとおりである。

> 看護技術とは，看護の専門知識にもとづいて，対象の安全・安楽・自立をめざした目的意識的な直接行為であり，実施者の看護観と技術の修得レベルを反映する。[2]（下線は著者）

1）F. ナイチンゲール著，小林章夫・竹内喜訳：看護覚え書——対訳. pp.4-5, うぶすな書院, 1998.
2）日本看護科学学会看護学学術用語検討委員会編：看護学学術用語. p.9, 1995.

　この定義によると，看護技術には専門知識や明確な目的が必要であり，さらには実施者自身の看護観，すなわち看護についての価値観や態度もかかわってくることがわかる。たとえば，身体をふき清める「全身清拭」を考えたとき，単にタオルでふくだけでは看護技術とはいえないであろう。目的が不明確であり，かつ原理・原則といった根拠に基づいていなければ，それはただの「全身をふく行為」であり，「無言で行う」「冷たいタオルでふく」「肌に掛け物をかけない」「カーテンが半分開いている」のであれば，対象者に苦痛を与えるものにすぎないのである。

　以上のことから考えると，看護技術とは，対象者の安全・安楽，自立支援を含む看護の目的を達成するために，専門知識と根拠に基づいた方法や手順にのっとり，実施者の看護観（価値観や態度）を反映し，そしてこれらすべてを統合したかたちで成立する直接行為であるということができるだろう。

■技術から技能へ，技能から技術へ

　「技術」の一般的な意味合いは，「技能」や「わざ」という言葉でも説明されている。ただし，厳密には「技術」と「技能」の定義は異なっている。

技術● 　「技術」は，目的達成に向けて法則（こうすればうまくいくという決まり）を意図的に適用する行為であり，その法則は言葉で説明できるものである。それゆえ，学校教育のなかで学習し，習得することが可能である。

技能● 　一方，「技能」は，まさに「わざ」であり，「技術」と同様に，目的達成に向けた行為であってすぐれた効果をもたらすが，その法則がうまく説明できないものである。

技術と技能の● 　「技術」と「技能」は，反復練習と言語化を通じて循環する関係にある（⟳
　　　関係 図1）。つまり，「技術」を繰り返し練習し，なにができてなにができなかったかを整理し，反省するうちに「技能」が身につく。また，「技能」を観察し，研究を通してデータを集積し，その共通点を見いだして言語化することで，それが法則となり，「技術」になるのである。この循環を維持することで看護技術は発展し，看護実践の質は高められる。

　看護を学びはじめた皆さんは，まずは「技術」を反復練習して，「技能」にまで高めることを目ざそう。そして，将来的には，身につけた技能を研究し，「技能」を「技術」へと転換してもらいたい。

■個別的看護の実践と本書の射程

　看護の目的は「あらゆる年代の個人，家族，集団，地域社会」を対象とし，「健康の保持増進，疾病の予防，健康の回復，苦痛の緩和を行い，生涯を通して最期まで，その人らしく人生を全うできる」ように援助を行うことである（日本看護協会：看護職の倫理綱領，2021）。つまりは，あらゆる対象への「個別的看護」を目ざすものである。

○ 図1　技術と技能の関係

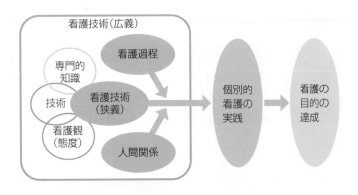

○ 図2　本書における看護技術の構造と目的との関連

○ 表1　基礎看護技術Ⅰ・Ⅱに掲載されている看護技術の種類

看護行為に共通する技術	コミュニケーション，安全・安楽の保持，姿勢・体位の調整，感染予防，観察，身体各部の測定，ヘルスアセスメント，情報の収集，看護過程の展開，記録と報告
日常生活行動の援助技術	環境調整，活動の援助，体位変換，移動の援助，休息の援助，衣生活の援助，清潔の援助，食事と食生活の援助，排泄の援助
診療に伴う援助技術	診療・診察の補助，栄養補給，導尿，浣腸，ストーマケア，罨法，吸入，吸引，褥瘡の予防とケア，創傷のケア，包帯法，与薬，検査時の介助，検体の採取，洗浄，看取りと死後のケア

　　これまで述べてきた看護技術は，狭義の意味で用いており，このほかに，看護の基盤となる人間関係や，看護過程という問題解決的思考・実践の方法，さらにはリーダーシップ・メンバーシップなどのさまざまな応用的な能力を統合して行われる行為（広義の看護技術）によってはじめて，個別的な看護の実践が実現し，看護の目的を達成することになる。

　　本書では，看護基礎教育において学習する基礎看護技術について述べることとし，①人間関係のための技術，②看護過程の方法，③（狭義の）看護技術について紹介する（○図2）。

基礎看護技術●
Ⅰ・Ⅱの構成と
技術の種類
　　今日の医療現場で必要とされる看護技術には，以前とかわらないものもあれば，医療の高度化や看護職の役割の変化に伴って習得が必要になったものもある。看護行為に共通して必要となる看護技術については，本書『新看護学6　基礎看護技術Ⅰ』で，そして，保健師助産師看護師法の第5条および第6条における「療養上の世話」および「診療の補助」のための看護技術については，『新看護学7　基礎看護技術Ⅱ』で解説している（○表1）。それぞれの看護技術については，今日に臨床現場で行われる，または緊急災害時に必要となりうる基礎看護技術の目的や実施上の留意点，手順，さらには事例を含めて述べる。

第1章 患者の心理の理解とコミュニケーションの技術

A コミュニケーションのための心理の理解

看護実践の場で，よいコミュニケーションを展開するためには，患者の心理に目を向けることが必要である。状況によって異なる患者の心理的な特徴を理解しておくことは，コミュニケーションを通して患者のニードをいち早くつかみ，必要な看護援助を提供することを可能にする。

1 コミュニケーションの意義と目的

1 看護実践におけるコミュニケーションの意義

コミュニケー●
ションと看護

コミュニケーションとは，人と人が，言葉や表情，身ぶり，手ぶりなどを使って，意味あるメッセージを伝え，互いに理解し合う行為である。看護の実践は，まさにこの特徴を備えている。看護は，患者と看護師が相互にかかわりあいながら展開されるプロセスであり，コミュニケーションは，看護の本質に深くかかわっている。

看護実践におけるコミュニケーションは，患者の尊厳をまもり，患者と看護師の間の信頼関係の礎となる。もし，看護師が無言で突然，病室に入り，患者の衣服をはぎとり，からだをふいたとしたらどうだろう。たとえ身体は清潔になったとしても，患者は悲しくみじめな気持ちになるに違いない。どんなに高度な知識や技術をもっていても，コミュニケーションなしに行われる行為は看護ではない。

すべての看護ケアは，コミュニケーションを通じてかたちづくられた信頼関係のうえになりたつ(◯図1-1)。看護師は，コミュニケーションを通じて患者の症状や行動をとらえ，さらには患者の心の奥底にある願いや希望をとらえている。このようにして収集した情報を，専門的知識とともに用いることによって，はじめて患者にとっての最適な看護ケアがつくり出される。

援助的人間関係●

患者と看護師の良好なコミュニケーションに基づく人間関係は，**援助的人間関係**とよばれる。援助的人間関係は，患者を癒し，苦難に立ち向かう強さ

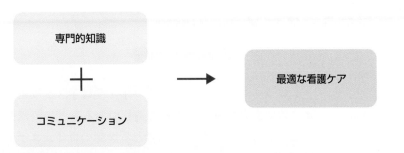

患者と看護師の間のコミュニケーションによる信頼関係と，専門的知識に基づく情報のやりとりが最適な看護ケアにつながる。

◯ 図 1-1　看護におけるコミュニケーションの意義

a．患者に安心感を提供する

b．情報を収集する

c．治療への主体的参加を促す

d．安全な看護を提供する

◯ 図 1-2　看護実践におけるコミュニケーションの目的

をもたらし，患者自身が解決策を見いだすことの支えとなる。

② 看護実践におけるコミュニケーションの目的

　　コミュニケーションの目的には，①患者に安心感を提供する，②看護計画をたてるための情報を収集する，③治療への患者の主体的参加を促す，④安全な看護を提供するなどがある（◯図 1-2）。それらがうまく機能することで円滑に看護が展開され，看護の質の向上につながる。

❷ コミュニケーションの基礎

❶ コミュニケーションの要素と過程

　コミュニケーションは，送り手・受け手・メッセージ・チャンネルという4つの要素が組み合わされた過程である。どの要素が欠けてもコミュニケーションはなりたたない。患者と看護師のコミュニケーションに含まれる要素を学び，コミュニケーションの基本を理解しよう。

■送り手と受け手

　メッセージを発信する側を**送り手**，受信する側を**受け手**とよぶ。コミュニケーションは，キャッチボールのような過程であり，送り手と受け手とが交互に交代しながら展開される。

　患者が看護師になにかを伝えようとするときには，患者が送り手であり，看護師はそれを受けとめる受け手となる。一方，看護師が患者になにかを伝えるときには，看護師が送り手であり，患者は受け手となる。

■メッセージ

　送り手は，相手に伝えたい内容を，言葉や身ぶり，表情などを使って表現する。この表現に込められた意味を，**メッセージ**という。コミュニケーションは，送り手がはっきりとメッセージを送ることと，受け手がそのメッセージを受けとり，正しく理解することによってなりたつ。送り手の発信するメッセージがあいまいだったり，受け手がメッセージを受けとめそこねたりした場合には，意味のあるコミュニケーションにはならない。

　たとえば，手術前の患者の「なんだか心配です。」という言葉や，落ち着かない動き，緊張した表情は，不安で緊張しているというメッセージを看護師に伝えている。患者とのコミュニケーションにあたっては，看護師は受け手として，患者が発信するメッセージをいつでも受けとめられる準備が必要である。また，看護師は送り手として，患者へのわかりやすいメッセージの発信をつねに心がける必要がある。

■チャンネル

　メッセージを伝える道筋を**チャンネル**という。送り手である患者が発した言葉や緊張した表情などは，受け手である看護師の聴覚と視覚によって受けとられる。看護師の提供する清拭や洗髪，タッチングといった身体ケアを，患者は触覚を通して受けとる。このように，コミュニケーションでは，五感を刺激するチャンネルを通してメッセージがやりとりされている。

② 言語的コミュニケーションと非言語的コミュニケーション

コミュニケーションは，用いられるチャンネルの違いから，**言語的コミュニケーション** verbal communication と**非言語的コミュニケーション** non-verbal communication に分類される（◯図1-3）。

■言語的コミュニケーション

言語的コミュニケーションは，言葉を用いたコミュニケーションであり，患者と看護師の間のコミュニケーションにおいて大きな割合を占める。言語的コミュニケーションによって，看護師は，患者への病状や検査・治療の説明，入院の説明などの治療や入院生活に必要な情報の伝達を行っている。一方で，患者は，自分の感じている症状や気持ちを看護師に伝えている。

また，言語的コミュニケーションでは，言語を通して互いの気持ちのやりとりもしている。患者は不安や心配な気持ちを言葉で表現し，それに対して看護師は「つらかったのですね。」，「安心してください。」，「大丈夫ですよ。」といった慰（なぐさ）めの言葉で応答している。

言語的コミュニケーションの特徴 言葉は，同じ地域や共同体に属する人どうしでは，意味と意図を比較的正確に共有することができる。しかし，地域や世代によっては，伝わる意味が異なることもある。また，日常の暮らしには，人それぞれに価値観やこだわりがある。看護師は，日常生活の援助にかかわるため，そのような違いによって生じる言葉の理解の違いにも注意が必要である。

■非言語的コミュニケーション

非言語的コミュニケーションは，言葉以外によるコミュニケーションであ

言語的コミュニケーション
● 言葉

非言語的コミュニケーション
● アイコンタクト
● 表情・身ぶり
● 衣服・化粧・アクセサリーなど

ありがとう

◯ 図1-3　言語的コミュニケーションと非言語的コミュニケーションの例

○ 表1-1　意図せずして伝わってしまう非言語的メッセージの例

看護師の様子	● せわしない態度 ● 乱暴なケア ● 無表情や場違いな表情 ● 不適切な言葉づかい
乱雑な病室の環境	● 丸まったまま放置されたふとんや乱れたシーツ ● 危険のある物品の配置 ● 処置に用いた物品の放置
気配りされていない患者の状態	● よごれた寝衣 ● 清潔でない髪や身体 ● のびたままのひげや爪

る。視線・身ぶり・姿勢・表情といった身体の動作，相手との距離のとり方，衣服・化粧・アクセサリーの使用などといった身だしなみによって，メッセージが伝えられる。多くの場合，言語的コミュニケーションとともに用いられ，それを補う役割を果たしている。

非言語的コミュ● 非言語的コミュニケーションの大きな特徴は，言語的コミュニケーション
ニケーションの　とは異なり，伝えることを意図していないメッセージも，ときに相手に伝わ
特徴　る点にある。たとえば，看護師が患者に話しかけるときには，看護師の表情や口調が患者への非言語的メッセージとなる。おだやかであたたかい表情やていねいな口調は，患者に安心感を伝える。看護師の様子や病室の環境，患者のおかれた状態によっては，患者を大切にしていないことを伝える非言語的メッセージとなるので，注意が必要である（○ 表1-1）。

3 患者・家族の心理の特徴

患者のニーズにあったケアを提供し，信頼される看護師になるためには，患者の発している言語的・非言語的なメッセージを受けとる技術が必要である。ここでは，医療の場で患者が経験しやすい感情と，それを読みとる手がかりとなる観察点をとりあげる。

1 患者・家族の体験する心理

■不安・恐怖
1不安・恐怖という感情

不安とは，自己の存在をおびやかす可能性のある破局や，危険を漠然と予想することに伴う不快な気分のことである。これまでに経験したことのない状況や，得体のしれない危険が迫っていると感じるときに生じる感情である。

恐怖とは，特定の明確化された危険や脅威に直面したときに生じる情動である。はっきりしない対象への予期的なおそれの感情である不安とは異なり，恐怖は特定の明確な対象に対するおそれの感情である。

②不安・恐怖がおこりやすい場面

　健康問題は，不安や恐怖を引きおこしやすい事態といえる。健康問題は，問題を生じた身体の部分だけでなく，その人の生活全体に影響を及ぼす。ここでは，身体的苦痛・心理的苦痛・社会的苦痛に分けてその影響を考えてみよう。

　①身体的苦痛から生じる不安・恐怖　強い痛みや，激しい嘔吐，呼吸困難といった身体症状は，苦痛と同時に不安や恐怖を引きおこす。患者は，「この先，どうなってしまうのだろうか。」，「ひどくおそろしいことがおこるのではないだろうか。」，「死んでしまうのではないだろうか。」という未来に対する漠然とした不安を体験する。

　また，検査や治療によって生じる身体的苦痛も，不安や恐怖の原因となる。たとえば，検査では，髄液採取などの侵襲的な処置を伴うものがある。治療に用いる薬剤によっては，激しい嘔吐や強い頭痛などの副作用を生じるものもある。

　このような身体的苦痛によって生じる不安と恐怖は，症状が改善することで徐々にやわらぐものの，症状が悪化していくときには，増強していくことになる。また，苦痛な治療や検査を繰り返し受けつづけなければいけない場合には，強い恐怖を経験することになる。

　②心理的苦痛から生じる不安・恐怖　身体症状が重篤でない場合や，自覚症状がない場合でも，不安や恐怖は生じる。たとえば，健康診断で異常が見つかり，精密検査が必要であるとの連絡がきたときや，重篤な病気の可能性がある検査結果を待つ場合などがある。

　このような場面では，未来への漠然とした不安や，今後の検査や治療についての恐怖が発生する。このような不安は，メディアから発信される健康情報や，本人の気質，さらには過去に経験した本人や家族の病気などによる影響を受ける。

　③社会的苦痛から生じる不安・恐怖　健康問題は，多かれ少なかれ，日常の生活に影響を及ぼし，不安や恐怖の原因となる。たとえば，体調がわるくて，学校や会社を休むという経験は誰にでもあるだろう。それが自分にとって重要な日，たとえば試験や重要な会議の日であった場合は，休んでしまうことやその後の影響について不安を感じることになる。長期間にわたる入院や通院治療が必要な場合には，この影響は一層大きくなる。

　さらに，日常の生活への影響は，本人のみでなく家族にも及ぶ。乳幼児を養育していたり，介護を担ったりしている人が通院・入院する場合には，養育を受ける子どもや介護を受ける人への支援が必要になる。しかし，調整は容易でないこともあるため，健康面に不安を感じながらもがまんを重ね，受診や治療の遅れにつながることがある。

⬭ 表1-2　不安を示すさまざまな表現

言葉による表現	「気持ちが落ち着かない」
	「なにも考えられない」
	「なにも手につかない」
	「なかなか眠れない」
	「夜中に何度も目が覚めてしまう」
行動による表現	● 話に集中せずそわそわした様子を見せる
	● 手もみ・貧乏ゆすりなどの動作をする
	● 何度も同じ質問を繰り返す
	● 早口で自分の言いたいことを次々と発言する
身体症状としての出現	● こわばった表情，青ざめた顔色
	● 心拍数の増加，動悸
	● 口渇の訴え
	● 発汗や頻尿，吐きけ，頭痛，しびれ

❸不安や恐怖の表現

　人は不安や恐怖を感じたときに，自分なりに対処する努力をする。適度な不安や恐怖を克服する過程は，物事の達成や成長に向けた道のりであり，自信につながったり，能力が高まったりする。一方で，個人で対処可能な範囲をこえた不安や恐怖は，患者にさまざまな負の影響を及ぼす。

　看護師に求められること●　看護師には，患者の不安や恐怖の程度を把握し，必要な援助を提供することが求められる。患者の不安や恐怖は，「不安だ」という言葉だけでなく，異なる表現や，行動や身体症状などの言葉以外にもあらわれる点に注意が必要である（⬭ 表1-2）。

　パニック状態●　臨床で重要な不安の所見に**パニック状態**がある。パニック状態では，呼吸困難や胸痛，嘔吐や失禁などの身体症状がみられる。また，不安に気持ちが占有されてしまい，外部からのはたらきかけや情報を受けとめることができない心理状況になる。

　看護師は患者の不安のサインをよく理解して受けとめ，その悪化をくいとめるために適時の介入が求められる。

■怒り・不信感
❶怒り・不信感という感情

　怒りは，故意に不当な扱いを受けたと患者が感じるときに生じる感情である。患者がかかえている怒りには，自分が直面した病への怒りや，その治療過程で生じる怒りなどがある。また，医療者の言動によっては，患者が医療者を信用できないと思う**不信感**を生じることもある。ここでは，おもに治療過程での医療者とのかかわりのなかで生じる怒りと不信感をとりあげる。

　怒りは，医療者への不信感となり，患者の闘病意欲をそぎ，医療者に心を開くことをはばむことにつながる。怒りが長期間にわたる場合には，抑うつ

感情や抑うつ[1]症状を引きおこす。

2 怒り・不信感が生じやすい場面

①配慮が不足した医療者の行為　不当な扱いを受けたと患者が感じる場面の一つに，患者が尊厳を傷つけられたと感じるような医療者の対応がある。尊厳とは，その人がその人らしくあることを意味している。尊厳は，食事・入浴・排泄・移動・活動といった生活のなかに織り込まれていて，看護師の提供する日常生活の援助が，尊厳をまもる行為につながっている。逆にいえば，看護師による配慮が不足した援助行為は，患者の尊厳を傷つける行為へと変化し，患者に怒りや不信感を引きおこす原因となる。

②説明の不足や理解のズレ　患者が不当な扱いを受けたと感じる原因には，看護師による説明の不足や，患者と看護師の間での理解のズレによるものもある。医療の場で仕事をしている看護師にとって，検査や治療は日常の慣れたできごとである。一方で，患者にとって入院生活ははじめてのことが多く，看護師が考える以上に，わからないことや想像しにくいことがある。それによって生じる行き違いが，看護師への信頼をそこなうことにもつながる。

③医療者間の調整不足　患者に怒りを生じる原因には，医療者間の調整不足もある。医療の場では患者を支えるために，さまざまな職種がかかわっている。チームでのかかわりが効果的に機能するためは，職種間での綿密な調整が必要となる。とくに，退院の時期や退院後の療養場所，治療の方針などの重要な情報が，医療者間で共有されておらず，異なる情報が提供されると，患者や家族を混乱させ，怒りや不信感をまねくことになる。

3 怒りや不信感の表現

怒りの表現はさまざまである。怒りをぶつける，詰問する，強くせめる，感情的に反応するなどの相手に対して感情的に攻撃をする場合から，まるで気にしていないかのようにいつもどおりふるまう場合まで幅広い。これには文化や世代の差などが影響している。

とくに日本社会は，他者に対する不快な感情を表現することはよいことではないと考える文化であり，怒りの感情は抑制される傾向が強い。したがって，患者は入院や治療の過程で怒りを感じることがあっても，医療者にそれを直接表現することは少ないと知っておく必要がある。

間接的な表現●　間接的な怒りの表現には，看護師への冷たい口調や，怒りの表情，冷たい態度や乱暴な態度，看護師を無視して遠ざけようとする態度などがある（◎図1-4）。このような態度がみられるときには，背後に患者がなんらかの怒りや不信感を感じていると考えて，その原因を考えてみる必要がある。

1）抑うつ：気持ちがひどく落ち込んだ状態をさす。

| a. 怒りの表情 | b. 看護師を無視する態度 |

○ 図 1-4　間接的な怒りの表現の例

○ 表 1-3　重篤な疾患に罹患した患者が体験する喪失感の例

● 身体機能の喪失	● 人々との関係性の喪失
● 精神的安定の喪失	● 自分自身が自分の力でできると感じていたことの喪失
● 家族のなかでの役割の喪失	● 自分が思い描いていた将来の喪失

■ 自信喪失・自己否定

１ 自信喪失・自己否定という感情

　自信喪失とは，あることをきっかけに，いつもならあたり前に自分でできていたことができなくなったり，できなくなったと感じたりしたときに心細さを感じたり，自信がなくなったりすることをいう。このような感情は，生活や，人と人の関係性の問題にもつながっている。

　自己否定とは，ありのままの自分を肯定する感覚を失ってしまった状態であり，自分は役にたたない人だと思ったり，価値のない人だと感じたりする気持ちである。重篤な疾患に罹患した患者が体験する喪失感は広範囲にわたる（○表 1-3）。これらの喪失感は，人々が自分らしく生きていく基盤を揺るがし，うまく受けとめることができなければ，自己否定につながる。

　自信喪失や自己否定の感情が長期化すると，抑うつ的になり，絶望感へとつながる危険がある。

２ 自信喪失・自己否定が生じやすい場面

　自分のイメージしている身体像をかえてしまう，四肢の切断や乳房の切除，あるいは人工肛門の造設といった治療は，患者の自信喪失や自己否定を引きおこしやすい。また，手足の麻痺などによる身体の機能的変化や，心臓病や腎臓病，糖尿病などの身体内部の臓器の疾患も，生活に変化を及ぼし，自信喪失や自己否定を引きおこす原因になる。

　強い自己否定感はやがて絶望感につながり，その人らしさを失わせ，抑うつや，ときに自死の引きがねになることもある。このような事態を防ぐため

には，患者が自分の身体の変化を受け入れ，自己を再構築していくための支援が不可欠である。

■希望

希望とは，将来に対する期待や，あることの実現を望み願う気持ちである。痛みや苦痛をかかえて病院を受診するとき，人々はそれらの症状が取り除かれることに対して希望をもっている。それは，医療に対する信頼と期待から生じている。

一方で，回復が見込めない患者は，未来を展望した希望をもつことがむずかしくなる。しかし，患者がいだく希望には，病気の回復以外にも，さまざまなかたちがある。看護師は，患者のもつ力を信じて，患者が自身の力によって，新たな希望をつむぎだすことのたすけとなる必要がある。

●闘病生活を支える希望　闘病生活では，小さな希望の一つひとつが，患者を支えることにつながる。たとえば，自分で歩行ができなくなった人にとって，松葉杖（まつばづえ）や車椅子（いす）などの新たな移動手段を身につけることは希望である。また，食事制限が必要になった人にとっては，制限の範囲内で気に入ったメニューをつくり出すことが希望となる。

●余命が限られた状況における希望の例　さらに，余命が限られた場合にさえも，人にはさまざまな希望を見いだす力がある。たとえば，自分がいなくなったあとの，残された大切な人々の生活環境を整えることも希望のかたちの一つである。大切な人々と自分の死について語り合い，きずなを確かめ合うことが希望となることもある。

また，これまでの人生をふり返り，自分が築いてきた人生や，病気の体験を意味づけることも希望となる。

❷ 感情のコントロール

■ストレスコーピング

❶患者の体験するストレス

これまでにみてきたような，さまざまな医療場面で患者が体験する不安や怒り，緊張，自己否定・自信喪失といった感情は，**ストレス反応**とよばれる。

ストレスをつくり出す刺激は，**ストレッサー**とよばれる。病気の罹患やけがの受傷による，痛みや出血は，人々にとってストレッサーとなる。さらに，治療や回復の過程では，薬の副作用，仕事や学業の中断，治療や通院における経済的な問題などといった，病気やけがに関連した新たなストレッサーを体験することになる。

❷ストレスコーピングとその種類

ストレスに直面したときに，患者はその感情をコントロールするためにさまざまな努力をしている。これらの努力を，**ストレスコーピング**とよぶ。

ストレスコーピングには大きく分けて2種類ある（♦**表1-4**）。一つは，問

◯表1-4　コーピングの例

問題焦点型コーピング	●問題の解決方法を調べる ●よい方法をほかの人に聞く ●別の方法で取り組んでみる
情動焦点型コーピング	●できごとの見方をかえてみる ●誰かに愚痴(ぐち)を聞いてもらう ●別のことをして気持ちをまぎらわせる

題焦点型コーピングといわれ，問題を解決するための行動である。もう一つは，**情動焦点型コーピング**といわれ，問題そのものをかえるのではなく，自分の考え方や見方をかえることによって気持ちを落ち着かせようとする努力である。

❸ ストレスコーピングの観察ポイントと支援

同じ状況にあっても，人によって選択されるコーピングはさまざまである。ただし，どのような行動であっても，コーピングは，不安や恐怖を解消するために行う努力といえる。そのよしあしについて看護師が評価すべきものではない。

しかし，たくさんのコーピングが用いられている場合や，情動焦点型コーピングが多く用いられるときは，本人にとって直接立ち向かうことができない大きなストレスを感じているというサインとして読みとることが必要である。コーピングによって患者の気持ちが落ち着いたところをよく見はからって，問題焦点型コーピングがとれるように支援していくことが効果的である。

■外傷後成長

病気やけがによって身体に不自由をかかえることで，仕事ができなくなったり，家庭での役割を果たすことができなくなったり，いだいていた夢をあきらめなければならなくなったりすることがある。また，大切な人と死別することになれば，心にぽっかりと穴があいたような気持ちを体験し，世界が色を失ったように感じることもあるだろう。病気やけが，大切な人との死別は，過酷(かこく)な経験である。

患者や家族は，このような経験のなかで，不安や恐怖，自信の喪失，自己否定などのさまざまな気持ちを経験し，これまでの生き方や価値観の変化を迫られることになる。大きなストレスを感じ，不眠や食欲不振，疲労感，うつ状態などを呈することもある。

しかし，このような経験は，それをのりこえたときに，人々に成長をもたらすことが知られている。これを**外傷後成長** post traumatic growth という。ほかの人への思いやりの気持ちをもてるようになったり，自分のなかにある強さに気づいたり，自分の人生においてなにが大切かをみつけることにつな

がったりする。

　苦しみの先に，このような可能性があることは希望の一つである。看護師が，患者や家族に体験のふり返りを促し，体験を意味づけられるように支援することは，患者や家族が再び希望をもって人生に向かう力をもたらすものとなる。

④ 患者のおかれた状況の理解

　患者の苦悩を癒し，患者の力を引き出すようなコミュニケーションを実現するために，看護師は患者のおかれている状況を理解することが必要である。ここでは，患者のおかれている状況の特徴と，コミュニケーションの際に注意すべき点を説明する。

① はじめて受診する患者の状況

患者のおかれた●　看護師と患者がはじめて出会う初診の場は，その後の両者の関係を方向づ
状況と心理　ける重要な場面である。高熱や痛み，吐きけや出血などの苦痛を感じている患者は，治療によって症状がよくなることを強く望んでいる。

　看護師は，患者の緊張をほぐして安心感を提供することと，診断や治療がスムーズに進むように必要な情報を収集することが重要な役割となる（◎5ページ）。患者の緊張をほぐすために，看護師は，まずは患者の苦痛に注意を向けて，共感を示すことが大切である。「熱が高くて，とてもつらかったですね。」，「この体勢で，つらくないですか。」という，患者を気づかい，安心感を与える声かけが必要である。安心感は患者の心に落ち着きをもたらし，患者が症状やこれまでの経過を，看護師に正確に表現することにつながる。

　また，健康診断で異常を指摘されたり，体調になんとなく異変を感じて受診した患者は，いま感じている症状よりも，がんのような重大な病気の診断を受けることへの不安を強くいだいている。このあいまいな状況は，患者の気持ちを複雑に変化させる。受診しなければと思う一方で，それを負担に感じる気持ちがはたらき，受診行動がとれないこともある（◎49ページ）。そのような負担感を引きおこすものには，仕事や家事の忙しさ，たいしたことはないと思いたい気持ち，テレビやインターネットからの情報などがある。

看護師に求め●　このような負担感をのりこえて，ようやく受診にたどりついた患者にとっ
られること　て，初診時の医療者とのかかわりは重要である。受診の遅れをせめるような態度や，事務的で共感的でない対応を看護師がとってしまうと，再び医療から離れてしまう危険がある。

　受診してよかったと患者が感じ，治療に向けて意欲をもつためには，看護師と患者の間に信頼関係が必要になる。そのために，まずは葛藤をのりこえて受診した患者へのねぎらいと，患者の不安な気持ちを気づかう態度が看護師には必要である。

② 生命の危機に直面している患者の状況

　　健康状態が急激に変化し，生命が危機的な状況にある期間を**急性期**とよぶ。急性期の患者には，すぐに救命のための治療にあたる必要がある。看護師には，専門的な知識に基づく的確なアセスメントと，次に必要になる検査や処置を見通した正確な診療の補助が求められる。

患者のおかれた状況と心理●　一方で，このような状況におかれた患者は，強い緊張と恐怖を感じている。同じような場面を繰り返し経験している看護師は，次におこりうる状況を予測することができるが，はじめて体験する患者には，それらを予測することはできない。

　　患者は，この先になにがおこるのか，なにが行われるのかについて想像がつかない不安や恐怖を感じながら，自分の身体を全面的に医療者にゆだねなければならない。医療者への信頼感がなければ，患者はこの苦痛な時間をのりこえることは困難である。

看護師に求められること●　そのため，患者の身体に対して行うケアや処置については，「これから，検査のために右腕から採血をしますね。」，「シーツを敷きますので，腰を少し上げさせていただきます。」などと一つひとつ具体的に説明しながら行う。これにより，患者は安心感をもつことができる。

　　また，「痛みどめの点滴をしていますから，少しずつ痛みがやわらぎますからね。」，「処置が終わったら，すぐにご家族にお会いできるようにしますので，もう少しだけがんばってください。」などと患者の希望となる情報を提供することで，患者は，苦痛をのりこえるための勇気と力をもつことができる。

③ 長期にわたり生活のコントロールが必要な患者の状況

　　心臓・肺・腎臓・肝臓などの臓器の機能の低下によって生じる病気には，生活習慣に関連するものが多くある。たとえば，狭心症や高血圧，動脈硬化，慢性閉塞性肺疾患，慢性腎臓病，糖尿病などがある。これらの病気は，食事や運動習慣，喫煙や飲酒などにおける望ましくない生活習慣の長期間にわたる積み重ねによって発症する。

　　身体の内部で問題が生じはじめてから症状を自覚するまでには期間がある。この間に生活調整ができれば症状は悪化せずに，生活を維持することができる。しかし，そのまま放置すると，やがて心筋梗塞や脳梗塞，腎不全，肝不全といった不可逆的な機能障害の発生につながり，生活の質 quarity of life（QOL）の大幅な低下を引きおこす。

　　このように長期にわたって生活のコントロールを必要とする病気は慢性疾患とよばれる。患者は病気が完治しないまま病状が比較的安定した寛解期と，急激に悪化する増悪期を繰り返し，ゆるやかに経過する**慢性期**を過ごすこと

になる。このような患者に対しては，状況によって，2つの異なるかかわりがある。

自覚症状がない段階でのかかわり　1つ目は，自覚症状がない段階での，看護師の指導的・教育的なかかわりである（◎41ページ）。不快な症状や苦痛がない状況で，患者が身体の異常を認識し，行動をかえることは非常にむずかしい。「自分は大丈夫。」，「そんなに大きな問題はない。」と患者は感じており，生活スタイルをかえる意思をもっていない場合も多くある。

この段階では，患者が病気を自分のこととして認識し，患者自身が生活調整をしていくための動機づけを高めるかかわりが必要である。そのようなはたらきかけなしには，患者の行動をかえることはできない。また，医療者が強制して患者の行動を一時的にかえたとしても，継続的な効果はない。

不可逆的な障害が発生してからのかかわり　もう1つは，不可逆的な機能障害が発生してしまった段階での看護師のかかわりである。患者はこれまでの生活を維持することがむずかしくなり，不自由をかかえて生活しなければならなくなる。たとえば，脳梗塞による脳の機能障害は，身体の麻痺や言語の障害をまねき，動くことや食べること，話すことなどの日常生活に大きな支障を引きおこす。腎不全では透析が必要となり，1週間に3〜4日，1回4時間に及ぶ血液透析を生涯受けつづけなければならなくなる。

看護師に求められること　患者は，「なぜあのとき，バランスのとれた食事を心がけなかったのか。」，「なぜあのとき，お酒を控えることができなかったのか。」，「なぜ，タバコをやめる決心をしなかったのか。」と感じ，自分をせめ，ときに自暴自棄に陥る。看護師は，患者の身体に生じた不自由を理解すると同時に，患者が直面している葛藤にも理解が必要である。そして，患者が葛藤をのりこえ，現実を受けとめ，その後の人生をどのように工夫して歩んでいくかをともに考える姿勢が求められる。

④ 人生の最期が近づいた患者の状況

終末期とは　病気や老衰によって，人生に残された時間が少なくなった時期を**終末期**という。現在，ほとんどの人は病院で死を迎えているため，日常生活のなかで他人の死を経験することはあまりない。さらに，家族や友人と死について積極的に話し合うことも少なく，自分や家族の死が近くなってはじめて実感することが多い。

患者のおかれた状況と心理　人が死にいたる過程では，最期まで意識がしっかりしている場合もあれば，徐々に意識レベルが低下する場合もある。意識がある場合はもちろんのこと，意識レベルが低下する場合であっても，患者はその経過のなかで，強い倦怠感や痛み，息苦しさ，排泄の困難などの不快な症状を経験する。

死を意識したときから，患者は自分の死について恐怖をかかえることになるが，そのような感情は体調の変化によって大きく左右される。痛みがひど

く強いときには，「もうだめなのではないか。」と感じ，痛みがうまくコントロールされている状況になると，「もう少しがんばれるのではないか。」と希望をいだく。

看護師に求められること　看護師は，患者のこのような感情の揺れに寄り添っていくことが必要である。患者は，死に対する答えを看護師に求めているのではなく，ただその場にともにいてほしいと望んでいる。しかし，看護師自身が死について，強い不安や恐怖をいだいている場合，死に向かう患者にかかわることを避けがちになる。看護師による十分な身体的なケアと，あたたかな人間的な交流は，やがておとずれる人生の最期にむけて，患者が自分なりに気持ちを整理していくことを支えていくものとなる。

⑤ ライフサイクルによる心理的な特徴

人は，発達段階により言語・思考・知覚などの機能が変化する。また，年齢を重ねることによって，家庭や社会における役割や位置づけもかわっていく。患者との信頼関係を築くためには，患者のライフサイクルを理解し，さまざまな状況を推しはかったうえで，適切なコミュニケーションの方法を用いて患者と向き合う必要がある。

① 小児期

小児期は，0歳からおおよそ18歳ごろまでをいい，乳幼児期，学童期，青年期(思春期)に分類される。小児期は，人の一生のなかで心身ともに最も成長し，変化する時期である。そのため，各段階の成長・発達や情緒，言語能力，理解力などの心理的特徴をふまえたかかわりが必要となる。

■乳幼児期(0歳〜未就学児)

新生児　生まれたばかりの新生児には，快と不快の感情がある。泣くことで不快を表現し，大人のケア行動を引きだしている。おなかがすいたり，おむつがぬれたりするといった不快なことがおこれば泣き，大人によって欲求が満たされたら寝る。新生児の生活はその繰り返しである。

生後半年ごろ　生後半年ごろになると，こわい，嫌い，怒りといった不快の感情の種類が増える。人見知りが始まるのもこのころで，養育者などのいつもそばにいる人を記憶し，それ以外の人を警戒するようになる。

生後9か月ごろ　また，生後9か月ごろからは，親の姿をつねに追い求める後追いが始まる。このころの子どもにとって，親は唯一無二の絶対的なよりどころ(安全基地)であり，親がいなくなれば泣き，親以外の人が近づいても泣く。したがって，この時期の乳幼児をケアする際には，子どもが安全基地のなかで安心して医療者を受け入れることができるように，できるだけ親がいるところで行うことが望ましい。

治療の内容をわかりやすく説明し，子どもの心の準備を促す。

⤷ 図1-5　幼児期の子どもへの治療の説明

言語の発達と
幼児期の子ども
への援助
　言語の発達は，子どもの月齢によって異なる。幼児期は，身体のどのような不調でも「ポンポンいたい。」などと表現し，部位や症状の説明をすることはむずかしい。

　そのため大人は，幼児にむずかしい説明をすることは不要と考えがちである。しかし，治療や処置を説明もなく行うことは，子どもにとって恐怖となり，その後の治療にも影響を及ぼす。たとえ言語の理解が十分でないと思われる幼児期であっても，子どもは子どもなりに，自分のおかれた状況を理解しようとする力がある。したがって，子どもであっても治療や処置の前には，年齢や理解力に合わせた説明をしなければならない（⤷図1-5）。

　子どもに説明を行う場合，絵本や紙芝居，ぬいぐるみなどのおもちゃや遊びを通して伝える方法が効果的である。親しみやすい方法を用いて治療の内容を子どもにわかりやすく説明することで，治療に対する心の準備を促し，子どものがんばる力を引き出したり，積極的に治療に向かう姿勢を導いたりすることができる。

■学童期（小学生）

　学童期になると，学校を中心とした生活が始まる。教室という小さな社会のなかで，仲間集団を形成しながら自分の居場所を見つけ，社会性を発達させていく時期になる。

　小学生の高学年になると，言語能力や理解力，論理的な思考力などが高まり，できごとやことがらについて具体的に表現できるようになる。身体的な不調についても，どの部分がどのように不調なのか，ある程度は他者に伝えられる。

学童期の子ども
への援助
　しかし，病院のスタッフなどの慣れていない大人に状況を詳細に説明したり，不調に対して適切に対処をしたりすることは1人では十分にできない。

そのため，子どもの気持ちを尊重しつつ，言葉を足しながら話を聞くといった支援が必要である。

　また，学童期は，感情を整理して表現する能力がまだ十分でなく，いやなことや不安な感情をじょうずに言語化することがむずかしい。学校でいじめに悩んでいる子どもは，学校に行きたくない理由を正直に親に言えず，「おなかが痛いから休みたい。」と表現することがある。ときには，実際に腹痛があり動けなくなることもある。

　このように，子どもは精神的不調を身体的不調として表現することもある。そのため，コミュニケーションの際には，学校生活や友人との関係，家庭での様子などを含めて十分に状況をとらえる必要がある。

■青年期（中学生，高校生）

　青年期は，思春期である青年期前期と，それ以降の青年期後期からなる。小児科では，青年期前期までの子どもを対象とすることが多い。

　思春期は第二次性徴によって特徴づけられ，子どもから大人へと身体が大きく変化し，成人とかわらない身体的な特徴をもつようになる。心の発達では，自分自身に対する関心が強くなる。身体の急激な変化に伴い，自分の容姿が気になり，自分が他人からどのように思われているかといった他者の視線や評価が気になる時期である。また，親からの精神的な自立のあらわれとして反抗期がおとずれる。

　この時期の子どもは，自立と依存のはざまで揺れ動く。自分のことは自分で決めたい，大人に指図されたくないという気持ちから，正しいと理解していることでも素直に従えなかったり，反抗的な態度を表出したりする。

　一方で，言葉や態度では強がってみても内心は不安で，誰かに頼りたい，甘えたいという気持ちも同時にもち合わせている。愛情を確かめるために大人を試すような行動をとることもある。子ども扱いされたり，大人からコントロールされたりすることには拒否感を示しやすい。

青年期の子ども●
への援助　治療や健康管理について伝える際は，子どもを一人の自立した人として扱い，指示的ではなく，ともに考え，干渉しすぎず見まもる姿勢でかかわることが必要である。看護師のこのような態度によって，患者は助言を聞き入れやすくなり，相互の信頼関係の構築につながる。

❷　成人期

　成人期は，青年期以降から老年期を迎えるまでの40〜50年間をさす。成人期前半は，就業や結婚などの人生における重大な選択の時期である。成人期後半にかけては仕事上の責任に加えて，子育てや親の介護にも責任が生じる時期である。

　このように，成人期の人は，親としての役割・職業人としての役割・介護

○表 1-5　成人期の患者が担う役割とその具体例

役割	具体例
親としての役割	●炊事や洗濯などの家事を行う ●生活費を稼ぐ ●子どもの習いごとの送迎をする ●子どものしつけをする
職業人としての役割	●決まった時間に仕事場に行く ●必要な知識や技術を身につけ，発揮する ●社会の人の期待にこたえ，成果をあげる ●仕事を通じて社会を支える
介護者としての役割	●家事を代行する ●日用品の買い物を代行する ●排泄や入浴などの身のまわりの世話をする ●通院に付き添う

者としての役割などの複数の役割を同時に担っている（○表 1-5）。そして，ひとたび健康障害が生じると，これらに「患者としての役割」が新たに加わる。通院や療養が必要となることで，もともと担っていた役割をいままでどおりに果たすことが負担となったり，役割を十分に果たせないことへの葛藤が生まれたりする。

成人期の患者●　看護師は，受診した人を患者という一つの側面からとらえがちであるが，
への援助　成人期の人にとって，患者としての側面はその人の一部分であり，全体をあらわすものではない。したがって，成人期の患者への対応にあたっては，親・職業人・介護者などのさまざまな役割を担っていることを忘れてはならない。これらの役割は，睡眠を十分にとる，決まった時間に食事をする，飲酒を控えるなどの健康行動や，受診や治療を継続するなどの行動にも影響を及ぼす可能性がある。

　成人期の人は，心身ともに自立し，自己決定する力を備えている。健康障害が発生した場合にも，自分なりの考えをもって，行動をコントロールしようと努めている。このため，医療者からみた理想の療養生活を押しつけ，知識不足や自己管理不足と決めつけて指導することは，問題の解決にはつながらない。そのようなことにならないために，問診において，患者の身体症状のみでなく，職場や家庭での役割，価値観や生活信条，病気や治療によって生じる影響，さらには病気や治療についての考えを十分に聞くことが必要である。

　成人期の患者への対応にあたっては，一人ひとりの生活スタイルや価値観の多様性を認め，患者の状況を理解したうえで，患者がみずからの意思で決定できるように支援していくことが大切である。患者のおかれている状況を十分に理解し，患者とともに解決策を考えることが，健康問題の解決に向けて，患者と看護師が同じ方向へ進むことを可能にする。

❸ 老年期

■1 老いの自覚

　老年期とは，成人期を終えたころから最期を迎えるまでの時期をいう。世界保健機関（WHO）は，65歳以上を高齢者と定義している。成人期以降，身体機能は低下しはじめる。しかし，変化の程度には個人差があり，早い時期から自分を高齢者だと感じる人とそうでない人がいる。多くの場合は，日常生活でこれまでとは違う自分を自覚することによって，老いを自覚しはじめる。

身体面の変化●　身体面の変化として，新聞や本を手もとから離さないと文字が見にくくなったり，階段の上り下りに膝の痛みを感じたりするという経験をするようになる。さらに健康診断では，要再検査・要治療の項目が増えてくる。

周囲からの関係●　周囲との関係では，孫が生まれて，「おじいちゃん」「おばあちゃん」と呼
や評価の変化　ばれたり，周囲からの評価もかわり，電車で席をゆずられたりするなどの経験をするようになる。社会的には，65歳を境に，定年退職，年金の受給，シルバーパス・シルバー割引といった公共交通機関や映画館，美術館の割引などが開始される。多くの人は，このように自分自身の身体的な変化や社会的な位置づけ，他者からの評価の変化を経験することを通して，徐々に高齢者であることを認識し，老いと向き合っていくことになる。

役割の喪失の●　老いの自覚は，これまで担ってきた役割の喪失の認識にもつながる。定年
認識　退職によって職業人としての役割を喪失し，子どもが自立することによって親としての役割を喪失する。生活の中心を占めていたこれらの役割を失うことは，役割を介してかかわっていた人との交流の機会もなくなることを意味している。

　このような状況下で，高齢者は社会から取り残されてしまったようなさびしさを感じていることもある。健康障害によって身体の自由がきかなくなったり，入院によって家族と離れたりすることは，これらの喪失感の認識に拍車をかけることになる。看護師が老年期の患者と関係を構築していくときには，高齢者のもつこのような喪失感に思いを寄せることが必要である。

老年期の患者へ●　高齢者とのかかわりでは，相手を自立した人として尊重する姿勢が大切で
の援助に必要な　ある。看護師が説明をするときに，まるで子どもに話すような言葉づかいを
姿勢と注意点　したり，「おじいちゃん」「おばあちゃん」と呼んだりすることは，高齢者の尊厳を傷つける行為である。

　また，高齢者の認知機能の評価をする際に用いる検査には，「今日は何月何日ですか？」「100から7を引いてください。」といった質問項目がある。看護師は，検査の目的や意図について，事前に十分に説明し，高齢者が自分の能力を低く評価されたと感じることがないように注意する必要がある。

2 身体機能の低下

　年齢を重ねるにつれて，身体機能は徐々に低下し，免疫機能や病気への抵抗力も低下するなどの身体的な変化が生じる。このような老年期の身体機能の低下を理解することは，高齢者とのコミュニケーションを考えるうえで重要である。

　コミュニケーションは，送り手と受け手が相互に情報を交換することで成立するプロセスである（⊕6ページ）。耳や眼といった情報を受けとる器官の機能の低下は，老年期の特徴的な身体機能の変化の一つであり，とくに聴力の低下はコミュニケーションに直接的な影響を及ぼす。

聴力の低下への●
対応
　会話の途中で何度も聞き返す，聞き間違いが多くなる，内容とかみ合わない応答をするなどの反応があれば，それは正しく情報を聞きとれていないことを示している。問診や病状の説明，入院生活の説明などの場面では，看護師は患者の年齢と反応を手掛かりに，患者の聞こえの程度を十分に把握して，対応することが求められる。

　聞こえにくさによって周囲の状況が理解できないことは，高齢者に疎外感や孤独感を引きおこす。さらに，医療者からの説明が十分に理解できないことは，服薬の誤りや，検査や治療のときにさまざまなゆき違いを生じ，身体への危険にもつながる。

眼の機能の低下●
への対応
　また，高齢者は眼の機能も徐々に低下し，新聞の細かい文字が見えにくくなり，道のわずかな段差を認識しにくくなるといったように，視覚的な情報の取り込みも障害されてくる。目が見えにくくなることで，活動を控える傾向がみられ，これによって運動機能や精神活動の低下も引きおこされる。

　受診や入院をするときには，書類を使っての説明が多くあり，患者は記載や署名を求められることもある。見えにくさをかかえる高齢者にとって小さな文字情報を理解することは，非常に困難である。それを考慮して，説明の際は文字の大きさやその方法を工夫することが必要である。

身体機能の低下●
への対応
　さらに，高齢者は身体機能全体が低下し，筋力の低下，関節の可動性の低下，平衡感覚や視覚などの感覚の低下によって，身体のバランスをくずしやすい。このため，転倒や転落が生じやすく，骨密度の低下と相まって，骨折のリスクが高まる。転倒・転落は，自宅内の階段，床，ベッド，浴室などでも生じることが多く，入院などによって環境が変化することで，その危険は一層大きくなる。

　高齢者は転倒や転落を一度経験すると，また転ぶかもしれないという恐怖をいだいたり，自信を喪失したりし，さらなる活動の低下につながるという悪循環をまねく。自分の行動を自分でコントロールできないことによる無力感は，自尊感情の低下につながる。自分はなにもできない，迷惑をかけてばかりの存在であるという思いから，気分が落ち込み，抑うつ状態になることもある。

表1-6　高齢者とのコミュニケーションにおける工夫

会話における工夫	●騒音が少ない静かな場所で話をする ●相手の顔をしっかり見ながら話す ●相手から看護師の表情が見える位置で話す ●相手の反応をみながら，ゆっくりと，はっきりとした声で話しかける ●メモなどを用いて，互いの理解を確認しながら話を進める
文字情報を伝える際の工夫	●見やすい大きさの文字および書式で作成する ●院内の看板は見やすい高さに設置する

　身体機能が低下することによって，コミュニケーションが不十分となることを防ぐために，看護師が高齢者に対応する際には，まずは環境に注意を向ける必要がある。会話の際や文字情報を伝えるために工夫をすることで，高齢者とのコミュニケーションを円滑に進めることができる（ 表1-6）。

3 認知機能の低下

　年齢を重ねることによって，認知機能にも低下が生じる。個人差が大きいものの，70歳を過ぎたあたりから，物事が記憶しづらくなった，忘れっぽくなったと感じる人が多くなる。

認知機能の低下による影響　認知機能が低下すると，環境への順応に時間と労力を要するようになる。高齢者は，環境の変化を避け，いままでと同じ生活を維持しようとするために，ときに自己主張の強さや頑固さ，保守的な態度，自分のやり方へのこだわりが目だって，周囲と対立してしまうことがある。入院による環境の変化は，順応力の低下している高齢者にとって，危機的なできごとの一つとなる。入院が認知機能の低下の引きがねになってしまうこともある。

看護師に求められること　高齢者とのかかわりでは，病院のやり方を一方的に伝えるのではなく，自宅ではどのように過ごしていたのか，本人はどのようにしたいと思っているのかを，一つひとつ聞きながら対応する必要がある。たとえば，朝食はパンにするかごはんにするか，就寝時は真っ暗にするか常夜灯をつけるかのように，限られたなかでも選択肢を提示することで，自宅での生活習慣の一部を取り入れることは入院中でも可能である。

　また，このような環境の変化によるストレスを少しでも緩和するために，使い慣れた日用品をもち込んだり，家族写真を飾ったりするなどと，可能な範囲で自宅の雰囲気を感じられる病床環境を調整することも大切である。

認知症の患者への対応　認知症は，高齢者に多くみられる疾患の一つで，近年，増加傾向にある。脳の機能が障害され，最近のことを忘れやすくなったり，日にちや時間の認識が曖昧（あいまい）になったり，理解力や判断力が低下するなどといった症状があらわれる。これらの機能は，いずれもコミュニケーションにおいて不可欠なものであるため，認知症ではコミュニケーションに重大な影響が生じる。

　認知症の患者が病院に入院すると，入院したという事実そのものを忘れた

り，部屋やトイレの位置を覚えることができずに病棟内で迷ってしまったりと，患者に混乱が生じやすい。混乱のなかで，患者は病院内を徘徊したり，自分の病室に戻ることができずにほかの人のベッドに入ってしまったりするなどの行動をとることがある。このような行動は，病院管理上は問題となるが，「幼いころに住んでいた家に帰ろうと思った。」，「亡くなった妻に会いたくなった。」など，本人なりの理由がある。

　このように，認知機能の低下によっておこるさまざまな症状は，周囲からは不可解に思える行動や発言であっても，本人にとっては意味がある。患者がどのような環境で育ち，なにを見てなにを感じてきたのか，そういった個人の背景を理解しようとする看護師の態度は，患者の行動の背後にある意味を見いだすことにつながる。そのため，どのような場合でも，まずは高齢者の話にしっかりと耳を傾けることが大切である（◯32 ページ）。

　このような看護師の態度は，認知症の高齢者に「私はあなたの話を真剣に聞きますよ。」というメッセージとして伝わり，自分は大切にされていると患者が感じることにつながる。

⑥ 看護師の心理

　ここまで，コミュニケーションの基礎となる患者の心理について学んできた。コミュニケーションは送り手・受け手が相互にかかわることによってなりたつ。そのため，看護師の心理についての理解も大切である。ここでは，看護師の心理について，とくにストレスへの適応を中心に解説する。

① 看護師にかかるストレス

　患者とのコミュニケーションに影響を及ぼす看護師側の要因に，看護師が感じているストレスがある。看護実践は，人々の健康を支えていくうえで不可欠であり，とてもやりがいのある仕事である。一方で，24 時間，切れ目なく対応することが必要であり，かつ生命を維持するために，身体の状況についての十分な知識と，適切な判断が求められる仕事でもある。

　さらに，看護のこのような業務は，つねに患者や家族との関係のなかで展開される特徴がある。患者や家族は，病によってさまざまな苦痛や不安をかかえている。看護師は，患者や家族の看護のために，看護の専門的知識と技術のみでなく，自身のこれまでの経験や，自分のもっている気持ちなども含めて，人と人としてかかわり合っていくことになる。看護のもつこのような職業の特性は，ストレッサーをつくり出しやすく，看護師はストレスをかかえやすい職業であると言われている。

　過度なストレスは，看護師の心理面・身体面・行動面に問題として出現する。たとえば，不安や，集中力・注意力の低下，強い倦怠感や不眠，食欲不足，針刺し事故，欠勤などにつながる。このような看護師のストレス状態は，

患者とのコミュニケーションに影響を及ぼし，ケアの質を低下させる。したがって，看護師は自分自身の健康をまもり，精神的にも落ち着いた状態で仕事にのぞむことが必要である。

② バーンアウト

　看護師と患者の関係は，すぐに解消するような表面的な関係ではない。患者や家族の気持ちに寄り添い，患者の苦しみや悲しみを癒し，患者の行動をよい方向に変化させるために，看護師はつねに患者と本音でかかわりあっている。

　しかし，患者には患者なりの考えや思いがあり，さらに患者のおかれた環境にはそれぞれ違いがある。したがって，看護師の努力は，期待する成果に容易に結びつくわけではなく，つねにうまくいくわけではない。

　看護師の思いが患者に伝わらなかったり，患者からうとまれたり，関係がこじれたりすることは，看護師にとってストレッサーとなる。そのストレスが強くなりすぎると，やがて，まるでろうそくが燃えつきてしまったような状態になり，仕事への意欲や生き生きとした感情を失い，疲れ果ててしまった状態へと陥ってしまう。このような状況を**バーンアウト**という。

　社会心理学者のマスラック Maslach. C. は，「長期間にわたり人に援助をす

◯ 表1-7　ストレス対処の資源となるもの

1. 身体的健康	ストレスに対処するためには，身体的エネルギーが要求される場合が多い。持続する慢性的なストレス状態で問題を解決するためには，それに耐えうるような身体的健康が必要となる。身体的に健康である人ほど，長期にわたりストレスに耐えることができる。
2. 自己効力感	「私は必要な行動を行うことができる」という自己の能力に関して人がいだいている自信を自己効力感という。自己効力感が高いほど，さまざまなストレス事態に遭遇した際に，問題解決のための対処を積極的に行うことができ，さらにその行動が持続する。
3. 問題解決スキル	生じた問題を解決する能力を問題解決スキルという。これは問題の定義，解決法の選択の考案，意思決定，解決法の遂行と検証という過程からなりたち，このスキルの高い人ほど，問題解決のための対処を効果的に行うことができる。
4. 社会的スキル	対人関係を良好に保つための技術を社会的スキルという。周囲の人と適切に対応し，円滑にコミュニケーションをはかるために必要な能力である。社会的スキルが高い人は，対人的なストレス事態において，自己をうまくコントロールし，他者との共同や協調をはかることで問題解決をすることができる。
5. ソーシャルサポート	他者から提供される実際的な物や労力，金銭あるいは情報などの援助と，他者によって支えられているという安心感のような情緒的な援助とがある。ソーシャルサポート資源の多い人は，ストレス事態に遭遇した際に，さまざまなサポートを提供してもらうことによって，問題解決の糸口をつかむことができる。

る過程で，心的エネルギーがたえず過度に要求された結果，極度の心身の疲労と感情の枯渇を主とする症候群であり，卑下，自己嫌悪，関心や思いやりの喪失を伴う状態」とバーンアウトを定義している[1]。

　バーンアウトは，看護師が陥りやすいストレスの症候群であることを知っておく必要がある。

③ 看護師の適応のために必要なこと

　バーンアウトに陥ってしまうと，看護師は仕事をすることがとてもつらくなり，患者によいケアを提供することもむずかしくなる。

　そこで，じょうずにストレスに対処しながら，バーンアウトを予防することが大切である。 ▶ **表 1-7** は，ストレスにじょうずに対処するための資源となるものである。

●参考文献
1）上野徳美・久田満編：医療現場のコミュニケーション——医療心理学的アプローチ．あいり出版，2008．

まとめ

- コミュニケーションとは，人と人が，言葉や表情，身ぶり，手ぶりなどを使って，意味あるメッセージを伝え，互いに理解し合う行為である。
- コミュニケーションの目的には，①患者に安心感を提供する，②看護計画をたてるための情報を収集する，③治療への患者の主体的参加を促す，④安全な看護を提供するなどがある。
- コミュニケーションの要素には，送り手・受け手・メッセージ・チャンネルの4つの要素がある。用いられるチャンネルの違いで，言語的コミュニケーションと非言語的コミュニケーションに分けられる。
- 患者・家族の体験する心理には，不安・恐怖，怒り・不信感，自信喪失・自己否定，希望といったものがある。
- 患者とのコミュニケーションにおいては，患者のおかれている状況を理解することが重要である。
- 患者との信頼関係を築くためには，患者のライフサイクルを理解したうえで患者と向き合う必要がある。

1）小堀彩子：対人援助職のバーンアウトと情緒的負担感．東京大学大学院教育学研究科紀要 45：133-142，2005．

復習問題

❶ 〔　〕内の正しい語に丸をつけなさい。

①アイコンタクトや表情など，言葉以外の要素によるコミュニケーションを〔言語的コミュニケーション・非言語的コミュニケーション〕という。

②自己の存在をおびやかす可能性のある破局や，危険を漠然と予想することに伴う不快な気分を〔不安・恐怖〕という。

③言語の理解が十分ではない幼児期の患者に対して，治療や処置を行う場合，患者にその説明をする必要は〔ある・ない〕。

④〔成人期・老年期〕の患者には，親や職業人，介護者としての役割を担っていることを考えて援助する必要がある。

❷ 次の空欄を埋めなさい。

▶患者が感じている不安は言葉によって表現されるだけでなく，〔①　　　　〕や身体症状などにもあらわれる。

▶ストレスが発生したときに，問題を解決するための行動をとることを〔②　　　　　　　　〕という。問題そのもの

をかえるのではなく，自分の考え方や味方をかえることによって気持ちを落ち着かせようとする努力を〔③　　　　　　　　〕という。

▶強いストレスがかかりすぎて，仕事への意欲や生き生きとした感情を失い，疲れ果ててしまった状態を〔④　　　　　　　　〕という。

❸ 次の問いに答えなさい。

①患者による間接的な怒りの表現の例を3つあげなさい。

　　　答〔　　　　　　　　　　　〕

②視力や聴力などの身体機能が低下した高齢者とのコミュニケーションにおける工夫の例を3つあげなさい。

　　　答〔　　　　　　　　　　　〕

B コミュニケーションの技法と実際

① 良好なコミュニケーションの前提

① 自分をよく知ること

■自分の強さと弱さを知る

　患者は闘病の過程で，気弱になったり，自暴自棄になったりする。看護師はコミュニケーションを通して，揺れ動く患者の心を支え，患者自身がその弱さを受け入れられるように励まし，勇気づけていく役割を担っている。

　患者の発するメッセージを受けとめるための第一歩は，看護師自身が，自分をよく知ることである。人は誰でも，自分のなかに強さと弱さとをあわせもっている。自分の強さも弱さもよく知り，それを受け入れることが，患者の弱さを受け入れ，強さを認めていく柔軟性につながる。

■自分と向き合う

　自分をよく知るためには，自分自身としっかりと向き合うことが必要である。自分に向き合う最もよい機会は，他者との関係でつまずいたときである。

　表面的な人間関係では，他者とぶつかりあうことは少なく，そのような機会はおとずれにくい。他者を恐れずに，勇気をもって真正面から深くかかわるときに，自分と相手の考え方の違いや，受け入れてもらえない自分，受け入れられない相手と向き合うことになる。そのような機会を通して，自分とはどのような存在なのかを考え，他者と折り合いをつける方法を体験しながら学んでいくことが，自分を知り，自分を育てていくことにつながる。

② 自分のなかに引き出しをたくさんもつ

　たとえば，色の名前を「赤」しか知らなければ，青色や黄色は，赤以外の色としてしか受けとることができない。しかし，赤・青・黄・緑・紫という色とその名前を知っていれば，青色を見れば「青」だとわかる。そして，「黄」と言われれば黄色を思い浮かべることができ，相手とイメージを共有することもできる。

　これと同じように，看護の場面でも，相手とイメージを共有することが重要である。看護の対象者は年代・性別・職業・知識・趣味などがさまざまであり，よいコミュニケーションの仕方は一律ではない。自分のなかに引き出しをたくさんもっていれば，患者が伝えようとするメッセージをしっかりと受けとめることができるようになる。したがって，ものごとに幅広く興味をもつことが大切である。芸術や音楽，スポーツ，文学，歴史などの教養を身

につけておくことは，よりよい看護につながる。

③ 患者・看護師の価値観の違い

　看護師も患者も，自分なりの価値観や健康観，人生観をそれぞれにもっている。看護師がこの違いを正しく理解していない場合には，患者にメッセージを効果的に伝えることはできない。たとえば，自分で自分の身のまわりのことができるようになって自宅に帰りたいと考えている入院患者と，家族の助けを借りながら生活することができればいいと考える看護師では，それぞれが考えるゴール地点が違っており，うまくコミュニケーションがとれない。

　看護師は，患者のもつ生活信条や価値観をよく理解することが必要である。同時に，看護師自身がもっている価値観についても意識しておく必要がある。その努力は，看護師の意図したメッセージが，患者に正確に伝わることをたすけ，ひいては患者の安全をまもり，治療を十分に機能させ，患者の行動変容を促すことへとつながる（○42 ページ）。

④ 環境の整備

　一生懸命にコミュニケーションをとろうとしても，相手が安心して話をできない状況では，よいコミュニケーションは成立しない。コミュニケーションを始める前に，落ち着いた静かな環境を整える必要がある（○図 1-6）。

　また，患者の聴力が低下しているのに，看護師の声が小さかったり，周囲が騒がしかったり，動作をしながら話したりすることは，コミュニケーションの妨げとなる。このような原因によって生じるコミュニケーションの問題は，看護師が気を配ることによって，防ぐことができる。

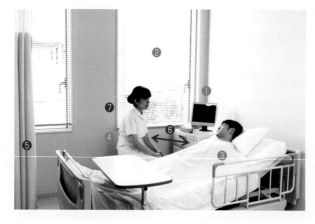

物理的環境の整備
❶テレビやラジオの電源を切る。
❷照明やカーテン，ブラインドで部屋の明るさを調整する。
❸患者が苦痛を感じない姿勢に整える。
❹重要な話の場合には，途中で PHS やアラームが鳴らないように，電源を切るなどの配慮をする。
● 空調で適温に調節する。

心理的環境の整備
❺カーテンを引くなど，プライバシーに配慮する。
❻適切な距離をとる。
❼圧迫感を与えないよう，相手の真正面を避け，やや斜めまたは横に座る。
● 面談室を予約してもよい。

○ 図 1-6　よいコミュニケーションのためのベッドサイドの環境整備

② 看護師として心がけること

患者とかかわる際には，適切なメッセージを送ることが必要である。しかし，非言語的メッセージは看護師が意図していないものも含めて伝わり，それが患者に不快感を与えたり，患者の不安につながることもある（◯8ページ）。看護師は，言語的メッセージのみでなく，発信される非言語的メッセージにも注意を向け，自覚と責任をもって行動する必要がある。

① 服装・態度

ユニホームを正しく着用することは，看護師であることを患者に示し，その役割と責任を宣言するものである。同様に，看護学生がユニホームを正しく着用し，華美な化粧や装飾品を避けるなどのふさわしい身だしなみを整えることは，学びたいという学生の意志のあらわれとして患者に受けとめられる（◯図 1-7）。

一方で，手や腕を組みベッドサイドから遠く離れた位置で，患者への声かけもせずに立っている態度は，実習生ではなく単なる傍観者であるというメッセージを送ることになる。

② 立ち位置・距離

患者に寄り添う援助者としてふさわしい立ち位置は，親密な関係の空間距離とされる 45 cm 以内である。しかし，あまり身体を患者に近づけすぎることは，「個人的にあなたに好意をもっている」というような誤ったメッセージを送ることになるため注意する。

○ ×

a. よい例 b. わるい例

- 髪型は清潔感を保ち，髪がユニホームや顔にかからない
- 明るすぎる髪色は避ける
- 化粧はナチュラルメイク
- ピアスやネックレスなどをつけない
- 爪は短く切り，マニキュアなどをしない
- しわやよごれのない清潔なユニホームを着用する
- 男性の場合，ひげをそる

◯ 図 1-7 身だしなみのよい例とわるい例

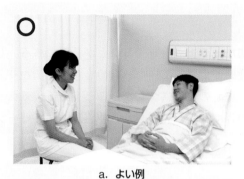
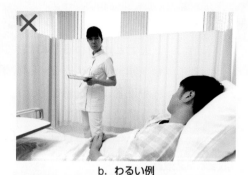

a. よい例
ベッドサイドでは，相手のやや斜め前または横に座り，相手の視線に合わせる。

b. わるい例
看護師が立ったまま見下ろすような行動は，患者に威圧感を与える。

◐ 図1-8　患者と会話するときの立ち位置のよい例とわるい例

臥床している●
患者の場合

　ベッドサイドの椅子に看護師が座ったとき，ベッドに臥床している患者との距離は45cm程度になる。会話の際には，真正面ではなく，相手と斜め45度で顔を合わせる位置が適しているとされる（◐図1-8-a）。横になっている患者を立ったまま見下ろしたり，カーテンごしに患者を眺めるような行動は，威圧的なメッセージを患者に伝えることになるのでつつしむ必要がある（◐図1-8-b）。

③ 視線

　患者への視線は相手の顎（あご）から首あたりにおき，ときどきアイコンタクトをとる。じっと相手の目を見つづけることは，日本人には一般的に好まれない。また，患者が目の前にいるにもかかわらず，相手の顔をまったく見ずに記録やメモ帳だけに視線を落としていると，自分は拒否されているというメッセージを患者が受けとってしまうことがあるので注意する。

③ 援助的関係としてのコミュニケーション技術

① 傾聴，共感

　患者をよく知るためには，看護師が必要な情報を次々と聞き出そうとするのではなく，まずはじっくりと患者の言葉に耳を傾けること（傾聴（けいちょう））が大切である。さらには，その世界を理解すること（共感）が必要である。

　傾聴とは，相手の話を単に聞くことではなく，関心をもって相手の世界に近づこうとすることである。また，その世界を自分も同じように感じ，理解することが共感するということである。ナイチンゲールは『看護覚え書』のなかで，「自分自身はけっして感じたことのない他人の感情のただなかへ自己を投入する能力を，これほど必要とする仕事はほかに存在しない」と述べ

表1-8　開かれた質問と閉じた質問の例

開かれた質問の例	閉じた質問の例
「ご自身の病気についてどのようにお考えですか」	「食欲はありますか」
「ご家族についてどのような思いをおもちですか」	「年齢はおいくつですか」
「退院後にはなにをなさりたいですか」	「どちらがお好きですか」

ている[1]。

　また，アメリカの看護理論家であるヘンダーソン V. Henderson は，患者が欲していること，必要としているものを知るためには，相手の「皮膚の内側」に入り込まなければいけないと述べている[2]。看護師が患者の世界に関心をもち，敬意をはらうことによって，患者はその経験や思いを看護師に伝えられるようになる。このようにして看護師は，はじめて患者のもつ世界に近づき，共感することができる。

❷ 開かれた質問と閉じた質問

　患者の世界を共有することができたら，次に看護の計画を考えるうえで必要な情報を患者に問いかけながら明らかにしていく。

　質問の仕方には，**開かれた質問**と**閉じた質問**の2種類がある（❍表1-8）。開かれた質問は，患者が思ったことを自由に答えられる質問であり，閉じた質問は，答えが「はい」「いいえ」，もしくは短い文で完結する質問である。

　どちらの質問を使うかは，問いかける内容や患者との関係によってかわる。病気や家族への思いなど，患者の心の奥深くにある内容を聞く必要があるときには，開かれた質問が適している。一方，出会ったばかりで患者との関係が浅いときや，長く話をすることがむずかしい状況にある患者の場合には，閉じた質問を用いるとよい。

❸ 援助の目的に応じたコミュニケーションの方法

　看護師は，それぞれの患者のおかれた状況の特徴を見きわめながら看護ケアを提供している。どのようなコミュニケーションによって，情緒的な支援と情報的な支援を看護師が行っているのかを理解しよう。

■情緒的な支援

　情緒的な支援とは，患者の気持ちを支える支援であり，患者が苦痛をのりこえるための力を引き出す。情緒的な支援は，患者の発信するメッセージを

1）F. ナイチンゲール著，湯槇ますほか訳：看護覚え書，改訳第7版．p.227，現代社，2011.
2）V. ヘンダーソン著，湯槇ます・小玉香津子訳：看護の基本となるもの，再新装版．p.15，日本看護協会出版会．2016.

看護師が受けとめることから始まる。

　そのために，看護師はベットサイドに足を運んで，患者と向き合うことが必要である。用事のついででではなく，必ず患者と話をするためにベットサイドに足を運ぶ姿勢をもってほしい。

情緒的な支援の●
方法
　看護師のつむぐ言葉はとても大切である。看護師が患者にかけた，たった1つの言葉が，長い療養生活を耐え抜く患者の気持ちの支えとなることもしばしばある。

　また，**タッチング**は，看護師だからこそ用いることができる重要なコミュニケーションのチャンネルである。タッチングとは，患者の背中をマッサージしたり，身体をそっと手で支えたりするなどの患者の身体に直接触れるケアのことである。清拭や洗髪，足浴といった日常生活ケアは，看護師の手を通して行われ，触覚のチャンネルを通じて伝達される非言語的コミュニケーションとなる。

　ほかにも，患者が生活しやすいようにベッド周囲の環境を整備することが，非言語的コミュニケーションとして患者の情緒的な支援となることもある。

　このように，言語的・非言語的コミュニケーションは，看護のさまざまな場面で情緒的な支援として機能する可能性をもつ。しかし，非言語的なメッセージは，看護師が意図してない情報も患者に伝わっていることを十分に理解する必要がある。せわしない態度や，乱暴なケア，場違いな表情などは，看護ケアを情緒的な支援から暴力へと変質させてしまう（◯8ページ，表1-1）。

■情報的な支援

　看護師は，コミュニケーションを通じて，患者にさまざまな情報を提供することで療養生活を支援している。情報的な支援を目的とするコミュニケーションは，患者が安心して入院生活を送り，安全に治療を受け，退院後も安心して過ごせることを目ざしている。

看護師が●
提供する情報
　看護師が提供する情報には，治療や検査に関する情報，入院生活を送るうえで必要な生活に関する情報などと多岐にわたる。効果的な支援をするために，看護師は，どのような場で，どのような範囲の情報を，どのような方法で提供するかをよく吟味することが必要である。

　看護師には，専門職として正しい情報を提供する責任がある。とくに医療費や社会資源に関する情報は，患者の退院後の生活において大きな影響を及ぼすため，十分な知識をもって対応することが必要である。

　情報を提供する方法の選択も，支援にあたり重要な要素になる。内容が複雑なものは言語だけの説明ではわかりにくく，忘れてしまう可能性がある。パンフレットなどによって説明を補う工夫も必要である。

　また，治療方法や退院後の療養場所の選択などの，患者や家族が重要な意思決定をしなければならない場面での支援では，患者と家族が十分に考えて

意思決定ができるように必要な情報を提供していくことが求められる。

❹ アサーティブ–コミュニケーション

アサーティブ–コミュニケーションとは「自分の考え、欲求、気持ちなどを率直に、正直に、その場の状況にあった適切な方法で述べること」[1]である。

看護師は、患者とその家族、同僚の看護師、医師、その他の医療者、事務職員など、多くの人とつねにかかわりをもって仕事をしている。仕事のなかでは、異なる意見や考えをもつ人と話し合いながら進めなければならない場面がたくさんある。看護師が自分の考えを伝えられず、つねに自分の気持ちを押し殺して相手に合わせていたら、患者に関する重要な決定に看護師の視点が反映されないことになる。さらに、看護師は葛藤をかかえ、仕事への意欲を失ったり、心身のバランスを崩したりすることにつながる(◎25ページ)。

つまり、アサーティブ–コミュニケーションは、相手も自分も大切にするコミュニケーションである。このスキルを身につけることで、患者や同僚の気持ちや立場などを大切にすると同時に、看護師自身も自尊感情が高まり、ストレスが軽減される。

❺ 面接の技法

面接には、入院時の患者の問診や、患者の家族との話し合い、外来での患者指導などが含まれる。面接はなんらかの目的をもって、時間を決めて行われる。

面接の場所● 面接では、患者が安心して話ができる環境が必要であり、面接室で行われることが多いが、ベットサイドで行う場合もある。

ここでは事例を使って、面接の流れについて学習していく[2]。

■事例

看護師は、松本義男さん(50歳代、男性)を受け持つことになった。松本さんは糖尿病の教育を受けるために入院となった患者である。若いころから血糖値が高いことを指摘されていたが、とくに症状もないため放置していた。

面接の目的は、松本さんから食事や運動など日ごろの生活の様子を聞き、血糖値のコントロールがうまく

1）平木典子ほか編：ナースのためのアサーション. p.1, 金子書房, 2002.
2）本書の事例の登場人物はすべて仮名で、実在する特定の人物との関連はない。

> できない生活上の課題を明らかにすることである。

　以下に，コミュニケーションの展開場面ごとに要点を示した。自分の考えたコミュニケーションと照らし合わせてみてほしい。

■面接の準備

　患者にとって話しやすい場をつくり，効果的な面接を行うために，面接の前に準備を整える。

①面接環境を整える

- 事前に面接室を予約するなどして，落ち着いて話ができる場所を確保する。
- 面接の前には面接室の照明をつけ，空調で室温を調節する（●30ページ，図1-6）。
- 面接中の患者と看護師の視線を考え，机のかどをはさむように椅子（いす）を配置する。

②看護師の準備を整える

- ユニホームのポケットに入っている聴診器や体温計などの面接に不要なものをかたづける。
- 面接に集中するために，ほかの業務を整理して，十分な時間を確保する。

③面接内容を準備する

- 診療記録や看護記録，フローシート（体温表）を見て，入院時から現在までの状況を確認する（●150ページ）。
- 面接の目的を達成するために，必要な質問事項を考える。
- 患者の質問に正確に応えられるように，関連する資料を手もとに準備する。
- 患者の質問に対してあわてたり，あいまいに応答したりすることを防ぐため，ある程度は質問を想定して準備する。

④患者の準備を整える

- 面接の目的をあらかじめ患者に伝えて面接の同意を得る。
- 面接の場所・所要時間・参加者を患者に伝える。

> 「なぜ血糖値が高くなってしまうのかを一緒に考えるために，入院前の生活について，時間をとって一度お話をうかがいたいと考えていますが，いかがでしょうか。」
> 「○月○日水曜日の10時から面接室で行いますので，よろしくお願いします。私が1人で松本さんのお話を聞かせていただきます。」

■面接の始め方

①あいさつをする　おだやかな口調とやわらかな表情を心がけ，よく聞こ

える声であいさつする。

②**患者の氏名を確認する**　確認の際には，看護師が名前を呼んで確認するのではなく，患者に名前（フルネーム）を言ってもらうことが原則である（➡67 ページ，表 2-2）。

③**面接の目的と所要時間を説明し，同意を得る**　面接にはある程度の時間が必要であるため，開始する前に患者の体調を確かめる。

> 「こんにちは。看護師の○○です。」
> 「確認のため，名字と名前を教えてください。」
> 「これまでの生活についてお話をうかがいたいのですが，これから 1 時間ほどお時間をいただいてよろしいでしょうか？」
> 「お手洗いなどは，大丈夫でしょうか」

■会話の進め方
■看護師からの問いかけ

面接の進め方●　最初は，答えやすい閉じた質問から開始し，開かれた質問へと徐々に進めていく。看護師が知りたいことばかりを聴きとるのではなく，患者に思いを語ってもらえるようにする（➡32 ページ）。

> ●閉じた質問
> 「はじめて糖尿病という診断を受けたのは，いつごろですか？」
> 「医師からどのような指示を受けましたか？」
> 「そのとき，どのような自覚症状がありましたか？」
> ●開かれた質問
> 「ご自分が糖尿病にかかったことを，どのように感じているか教えてください。」

質問の仕方●　「食事の状況について教えてください。」というような漠然とした問いは，どのように答えたらよいか，患者をとまどわせる。開かれた質問の場合には，患者が具体的になにについて答えればよいのかがわかるように質問していく。

> 「毎日の献立は，どのような点に気をつけて決めていますか？」
> 「献立を考えたり，食材を選んだりするときに，なにかお困りのことはありますか？」
> 「食事に制限があることで，最もつらいと感じるのはどのようなことですか？」

②患者への応答

会話を促す応答●　患者の話をよく聞き，適切に応答して，情報を引き出していく。

　①**患者の話を最後までよく聞く**　患者の話は，うなずきや相づちを交えて話を聞き，途中でさえぎらないようにする。

　②**受けとめた内容を投げ返す**　患者の言葉を繰り返し，内容を受けとめたことを伝えることによって，さらなる会話を促す。

　③**要点をまとめてフィードバックする**　患者の話が長くてまとまらない場合には，思考の整理を促すために，内容を要約してフィードバックする。

　●家族の支えが心強いという話を受けて
「松本さんはご家族の支えを，とても心強く感じているのですね。」
　●職場の状況や，最終電車で帰るといった話を受けて
「お仕事が忙しくて，自炊をする時間がなかったのですね。」
　●栄養表示の仕方にばらつきがあって困るという話を受けて
「お惣菜のカロリーがわかりにくく，苦労なさったでしょう。」

課題の探索●　会話のなかで，患者のかかえている課題を徐々に見つけていく。

　①**患者の課題に焦点を合わせる**　看護師は，患者の話を聞きながら，これまでに得た情報とあわせて分析を行う（アセスメント，◌163ページ）。

　②**課題の解決に向けてはたらきかける**　面接の最後に，明確になった課題をどのように解決していくかについて，今後の方向性を示し，患者と共有する。

「ご自分なりに食事の工夫をしているのに，なぜ血糖値が高くなってしまうのかがわからない点が最も問題のようですが，いかがでしょうか？」
「それでは，過去の献立をうかがいながら，カロリーを計算して，栄養バランスや血糖値との関係を一緒に考えていきましょう。」

■面接の終了

　面接の最後に，あいさつをして終了する。聞きもらしたことの有無の確認や，今後の案内などをしてもよい。

「おうかがいすることはこれで全部です。ほかになにか話しておきたいことや，聞きたいことはありますか？」
「お時間をいただき，ありがとうございました。」

⑥ 患者にメッセージを伝える際のポイント

　相手にはっきりとメッセージを伝えるためには，伝える意思と伝えたい内容を明確にしておくことが必要である。内容が明確で具体的なメッセージは，受け手が解読するときに，問題の焦点がぶれたり，誤解を生じたりすることが少ない。

　一方で，看護師が，なにを伝えたいのかがあいまいだったり，伝えたいことに迷いがあったりする場合には，そのあいまいさや自信のなさが患者に伝わってしまう。そのようなメッセージは，患者にとまどいを与え，看護師との間に距離をつくり出してしまうこともある。

　ここからは，看護師・看護学生のコミュニケーションのいくつかの事例をみて，相手にうまく伝わらなかったときにふり返るポイントを確認してみよう。

■ 自分が受け手に伝えたいことをはっきりさせてから会話に臨む

　必要な情報を伝えるためのコミュニケーションでは，なにを伝えるかをしっかり把握していなければ，相手に伝えることはできない。コミュニケーションの目的を理解し，事前に準備することが大切である。

> **■事前の準備が不十分だった場合**
>
> 　看護学生は，朝の申し送りで，今日，受け持ち患者の浅田真裕子さんの検査があることを知った。指導の看護師から「学生さん，浅田さんに検査のことを伝えておいてくださいね」と言われた。学生は浅田さんのところに行ったものの，検査の時間や内容・方法を理解していなかったために，「今日は検査があるそうです」と言ったきり，言葉に詰まってしまった。

■ 自分と受け手がイメージしている内容が同じであることを確かめる

　私たちは，知らず知らずのうちに自分なりのイメージに基づいて話をしている。しかしそれが相手と同じかどうかはわからない。自分のイメージしていることを言葉で表現するときには，いつも，自分の思い込みがありうることを意識しながら考える姿勢が大切である。そのうえで，なるべく具体的で正確な言葉を選ぶように心がけるとよい。

> **■言葉のイメージの共有が不十分だった場合**
>
> 　ある日，看護師は，担当患者の馬場隆さんの家族に「手術後に備えて，売店でおむつを1つ買ってきてください」と伝えた。馬場さんの家族は病院内の売店に行き，おむつを1枚だけ購入してきた。看護師はおむつ1パックをイメージして「1つ」と言ったが，家族は「1枚」と理解していた。

3 受け手がメッセージを受けとれる状況であることを見きわめる

　患者のおかれた状況を理解せずに，一方的に情報を提供してもコミュニケーションは成立しない。たとえば，手術を控えた患者は不安で緊張してしまい，看護師の言葉を聞き入れる精神的ゆとりがないこともある。受け手の身体状況・心理状況を十分に考えて，その場に適した内容を考えて伝える必要がある。

> **■緊張している患者の心理状況の理解が不十分だった場合**
> 　看護師は，明日手術を受ける担当患者の小田よねさんに，術前のオリエンテーションを行った。手術の準備として，前日夜から食べ物を食べてはいけないこと，手術当日は朝食が出ないこと，手術前に手術衣に着がえることなど，細かく説明した。しかし，手術当日になって小田さんは「なぜ朝ごはんが来ないのか」と怒りながらナースステーションにやってきた。

4 メッセージが受け手にとって理解可能であることを確認する

　看護師が日常的に使っている単語や表現には，患者にとってはなじみのないもので，わからないものも多くある。そのため，患者とのコミュニケーションに，ゆき違いが生じることがある。医療の分野は，専門用語が多いため，患者やその家族などとの会話では，日ごろから注意をはらって，わかりやすい言葉におきかえて伝えることが大切である。

> **■説明もなく専門用語を使ってしまった場合**
> 　実習中の看護学生が，検査を受ける堂本正弘さんに「いまからMRIに行きますが，準備はよろしいですか？」とたずねた。堂本さんはMRIの意味がわからず，困った表情を浮かべて「いったいなにをされるの？　どんな準備をすればいいの？」と不安そうに言った。

5 受け手の身体状況を理解して適切なチャンネルを選ぶ

　受け手である患者の身体状況は，コミュニケーションをとる際にも重要な情報である。適切なチャンネルを選択しなかった場合には，次のような重大な誤解を生じることもある。

> **■患者の身体状況の把握が不十分だった場合**
> 　看護学生が受け持ち患者の江本幸子さんにあいさつしたが，江本さんは振り向いてもくれなかった。学生は「自分は患者に嫌われているのだ」と思ってナースステーションで泣いていた。そこへ指導者がやってきて，江本さんは右耳の聴力が失われており，右側からでは話しかけても気づかないのだと説明してくれた。もう一

度ベッドサイドに行き，左側に立って声をかけたところ，にこやかに「あら，遅かったわね。待っていたのよ」と返された。

❼ 相談と学習支援

看護師の役割●　健康な人は自分のことは自分で行い，自立した生活を送っている。ヘンダーソンは，看護の機能は，本来ならば自分でできることが，なんらかの理由でできなくなったとき，その部分をできるだけ早く自分できるように援助することである[1]としている。このような状態をかなえるために，看護師には教育者としての役割と，相談者としての役割がある。

セルフケア行動●
の支援　私たちは日ごろから健康を維持するために，いろいろなセルフケア行動をとっている。たとえば，夜にしっかり睡眠をとることで，翌日元気に活動できるようにしている。家に帰ったら，うがい・手洗いをして，かぜをひかないように予防している。1日3食，規則正しく食事をとることで，毎朝よい排便をしている。

　これらの行動は，どれも自分で積極的に健康によい行動をとり，結果にいたったものである。看護師は，このようによい行動を維持し，問題がある場合には改善するように，教育や相談を行っていく。

看護職の教育的●
なかかわり　看護職による教育的なかかわりは，病院や学校，職場，地域などで行われる。病院や在宅での療養の場では看護師が，地域や職場では保健師がその役割を担っている。たとえば，病院では患者の療養行動の指導を行い，学校や職場では健康増進や疾病予防に向けた健康教育を行っている。その方法には，個別の相談や指導から，集団への指導までさまざまなものがある。

　入院患者には個別の指導が中心に行われるが，小グループでの指導が効果的な場合には集団で行われることもある。また，地域の保健センターでは，寝たきりの予防教室や生活習慣病の予防教室などの教育的活動が展開されている。そこに集まる対象にあったかたちで，講義やグループディスカッション，ロールプレイなどを取り入れた活動が行われている。

教育的なはたら●
きかけの方法　教育的なはたらきかけの方法には，次の2つがあげられる。

　①原因・理由を明らかにする　人々が望ましい療養行動や健康行動をとれない理由には，知識や動機づけの不足，自信のなさなどがある。

　教育的なはたらきかけは，まずは患者が正しい知識をもっているかどうかを知ることから始める。知識はもっているが，療養行動に取り組もうとしない場合には，行動に取り組む動機が不足している可能性がある。そのような

1）V.ヘンダーソン著，湯槇ます・小玉香津子訳：看護の基本となるもの，再新装版．
　　p.14，日本看護協会出版会．2016.

場合は，患者の思いをよく聞き，患者の行動の背後にある理由をつかむことが必要となる。

　人が行動を変化させることを**行動変容**とよぶ。看護師は健康にとって望ましい方向への行動変容にむけてはたらきかける。

　しかし，人は，気持ちが動かなければ行動に変化をおこすことはできない。看護師が熱心に食事制限や運動といった生活上の指導をしても，「人生は太く短く」という信念をもっている患者は，指導を受け入れ，行動をかえることはない。また，望ましい行動を続ける自信が不足している場合にも，適切な行動がとれないことがある。

　このようなときには，家族や看護師が患者の努力を承認したり，励ましたりするなどと，サポートする体制を整えることがよい結果につながる。

　②効果的な学習支援方法を考える　学習支援にあたっては，対象者の理解度や身体の状況に適した情報や学習教材の活用が必要である。障害の有無や社会的状況を十分に知り，対象者にあったチャンネルを活用する(◐6ページ)。

　たとえば，高齢の患者に，小さな文字がびっしり書かれたパンフレットを提供しても読むことができない。よい内容が書かれていても，患者がその情報を受け取ることができなければ意味がない。相手の状況をよく理解し，相手の立場になって考えて，はじめて効果的な学習支援となる。

4　患者・家族とのコミュニケーションの実際

　ここからは臨床場面での事例を用いて，学習を深めていく。事例を通して，患者・家族と看護師の間で，どのような会話が交わされ，ここまでに学習した知識や技法が，どのように使われているのかを理解しよう。

1　さまざまな場面でのコミュニケーションの実際

　ここでは，看護師のかかわりが，患者のその後の治療への姿勢に大きな影響を及ぼす場面として，入院場面と退院場面，そして疾患の告知場面をとりあげる。さらに近年，看護師の役割がますます大きくなっている外来での治療場面をとりあげた。それぞれの場面の特徴を理解し，看護師がどのような点に注意して患者のメッセージをとらえ，どのようにかかわっていくかを学習しよう。

■入院時のかかわり

　入院は，患者にとって不安で緊張する場面である(◐8ページ)。入院時の看護師のかかわりは，その後に患者が安心して入院生活を送り，意欲をもって治療にのぞむための重要なかかわりである。

■事例

①佐田さんの入院までの経緯

　佐田恵子さんは75歳の女性で，夫とは死別し，ひとり暮らしをしている。簡単な腰の手術のために，本日，入院することになっている。佐田さんは，自宅から1人で病院に向かった。

　病棟につくと佐田さんは「たかだか腰の手術なのだからと自分に言い聞かせて，近所に住む娘の付き添いは断ったのよ。」と唐突に話した。看護師は，うなずきながら「そうでしたか。強い決意で来られたのですね。ここからは，私たちがしっかりサポートしますので，なにか困ったことがあれば遠慮なく相談してください。」と答えた。

②緊張している佐田さんへの説明

　入院と手術の説明のために病室に行った看護師は，佐田さんがとても緊張しているので，ベッドで楽な姿勢をとってもらい，まずは佐田さんの不安を聞くことから始めた。看護師は，ベットサイドに腰掛け，佐田さんが緊張せずに話ができるように，おだやかな表情でゆっくりとした口調で話すように心がけた。

③佐田さんの心配ごと

　説明のあと，看護師が「なにか心配なことや，わからないことはないでしょうか。」とたずねると，佐田さんは，「手術，全身麻酔なんてはじめてだから緊張しちゃって。大丈夫かしらね？　やっぱり痛いのかしら？　私，すぐ心配する癖(くせ)があって。」と言ってタオルを握りしめていた。

　看護師は，佐田さんが入院前に，不安症状を抑える薬を服用していたと話していたことを思い出した。「はじめての経験なので心配なのはよくわかりますよ。佐田さんはもともと緊張しやすいタイプですか？」と聞くと，「そうなのよ。なんでも心配して緊張するの。娘には，心配ごとを一生懸命さがしているってよく言われるんですよ。」と答えた。

④佐田さんに安心感を与える言葉かけ

　看護師は，手術後に痛みが強いときには痛みどめの薬を使う指示が出ていることと，痛みの程度を看護師がこまめに聞いて確認することを説明し，痛みをがまんせずに佐田さんからも伝えてほしいことを話した。佐田さんは「そうなのね，それを聞いて安心しました。すみませんね，お忙しいでしょうに。」とほっとした表情を見せた。部屋を出る前に看護師は，「大丈夫ですよ。遠慮なく，なんでも聞いてください。またのちほどうかがいますね。」と伝えた。

かかわりの●
ポイント　　看護師は，佐田さんの不安を傾聴し，受けとめることで安心感を与えると同時に，治療に向かう佐田さんの力を引き出すかかわりをしている。かかわりのポイントを理解しよう。

①**患者の言葉やしぐさから，不安・緊張の程度を把握する**　看護師は，「あえて1人で来た」という言葉や，タオルを握りしめている動作，入院前の服薬の情報から，佐田さんの不安と緊張の程度を把握している。患者の不安や緊張は言葉だけでなく，表情や動作にもあらわれることを理解し，よく観察するように心がける(● 10ページ)。

②**患者がリラックスして話ができるように場を整え，患者の話を傾聴する**　看護師は，座る位置や，話し方にも注意を配り，佐田さんが安心して話ができるように場を整えている。患者の不安の訴えに対しては，「心配なのはよくわかりますよ」と共感的理解を示している(● 32ページ)。安心して話をすることができ，聞いてもらえるという経験は，患者と看護師の間に信頼関係をつくるために大切なことである。

③**患者が相談しやすい雰囲気やきっかけをつくる**　説明のあとに看護師から声をかけ，患者が話すきっかけをつくっている。入院中，困ったらいつでも相談できると感じられることは，患者が安心して入院生活を送ることにつながる。

④**患者が対処する力を高められるようにはたらきかける**　痛みへの佐田さんの恐れに対して，痛いときに備えて薬が準備されていることを伝えるかかわりは，患者が術後の痛みに対処する力を高めるはたらきかけとなる。

■検査結果を説明する場面でのかかわり

　検査結果を待つ患者は，結果への不安を強くいだいている(● 9ページ)。また，重大な結果を知らされた患者は，冷静な心理状態ではいられない。看護師のかかわりは，とても厳しくつらいこの場面で，患者が気持ちを立て直し，治療に向かっていくことの支援につながる。

■**事例**

①**木村さんの受診までの経緯**

　木村道子さんは，62歳の独身女性である。キャリアウーマンとして働いてきたが，現在は退職し，テニスや水泳を楽しむ生活を送っている。健康診断を毎年欠かさず受け，健康には自信をもっていた。

　しかし，1か月前に受けた健康診断で，腎臓の機能がわるく，治療が必要という

結果を受け取り，急いでかかりつけ医を受診した。

医師から腎臓の機能は人工透析治療が必要になりそうな状態と言われ，腎臓内科を紹介され，受診することになった。木村さんは，1年前の健診ではなんともなかったのに，急に人工透析治療が必要になるかもしれないと言われるとは，いったいどうしたことなのかと愕然とし，また医師の言葉に憤りを感じた。

②検査結果の告知による木村さんの衝撃

腎臓内科では，問診と採血を受け，検査結果が出るまでの1時間，待合室でやきもきしながら待っていた。「健診結果は間違いなのではないか。」，「去年までなんともなかったのに，急に生涯にわたる人工透析にいたるなんて，そんなはずがないだろう。」と思っていた。

診察室によばれ，医師から，腎臓は20％しか機能していないことと，腎臓の機能は一度失われると回復しないため，近い将来，人工透析の導入を検討しなければならない段階にあると告知された。ショックを受けた木村さんは，その後のやりとりについてはほとんど記憶にないまま診察は終了してしまった。

③木村さんの気持ちにかみ合わない看護師の対応

混み合った待合室に戻ると，診察室で医師と同席していた看護師に「木村さん，先生からお話があったように，栄養指導を受けていただきます。」と言われた。明るい声で話しかけてきた看護師に，木村さんはふつふつと怒りがわき上がってくるのを感じた。

「はぁ？　……ちょっと，よく聞いてなかったからわからないのですけど……。」と答えたものの，看護師は木村さんの心境を気にする様子はなく，「医師から，栄養指導について話がありましたよね。管理栄養士から栄養指導を受けていただきますので……」と話を続けていた。木村さんはため息をついてその言葉をさえぎった。

そして強い口調で，「だから聞いてないって言ってるのに。」と言って目を伏せた。看護師は木村さんから向けられた怒りで，いたたまれない気持ちになり，黙って診察室に戻っていった。

かかわりの●
ポイント
この事例は，配慮に欠けた看護師のかかわりが，告知によって衝撃を受けている患者に，さらなるストレスを与えてしまった場面である。このような事態を防ぐために，看護師のかかわりのどこに問題があったか，ふり返ってみよう。

①**検査結果を待つ患者のストレス状態をよく見きわめる**　これまで健康に自信をもっていた木村さんが，重大な結果に直面し，その検査結果が出るのを待っている。看護師は，患者の来院までの経過や待合室での様子を観察し，患者のおかれている状況を理解する努力が必要である(◯15ページ)。

②**患者の緊張が強い場面では，看護師は同席して患者をサポートする**　告

知の場面では，看護師は単に同席するだけでなく，患者が医師の説明を十分に理解することができたかどうか，患者が落ち着いて医師の話を聞くことができる状態にあるかどうかを判断し，必要に応じて医師と患者の間の橋渡しをする。

　③**患者のおかれている世界に関心を向ける**　木村さんは，自分の気持ちとは裏腹な，看護師の場違いな明るい声に対して，怒りを感じている。患者の怒りは，尊厳を傷つけられたと感じるような医療者の対応によって生じる（◯11ページ）。看護師は，患者のおかれている世界への共感的理解を示すかかわりが必要であり，事務的な対応は患者を傷つけることになる。

　④**看護師の非言語的なメッセージの重要さを理解する**　患者の世界への看護師の無関心さは，ふとした言葉や表情，行動にあらわれる。それは患者を深く傷つけ，信頼関係の構築を困難にする（◯11ページ）。看護師は，対象となる人に関心を向けてかかわる姿勢が必要である。それによって，このような事態を防ぐことができる。

■外来の治療場面でのかかわり

　近年，入院期間が短くなり，外来に通院しながら治療を続ける人が多くなってきた。がんの治療のように，これまでは入院して行っていた治療も，外来で行われる場合が増えてきている。患者が安心して，かつ安全に自宅で生活するために，外来での看護師の役割は重要性が高まっている。

　■**事例**

①**桐原さんのこれまでの経過**

　桐原ゆかりさんは，58歳の女性である。IT関係の会社に係長として勤務している。仕事は忙しいけれど，やりがいも感じている。

　健康診断で異常が見つかり，精密検査の結果，肺がんと診断された。3か月前に手術を受け，その後，入院して1回目の抗がん薬の薬物治療（化学療法）を受けた。2回目以降の化学療法は通院しながら，外来で行うことになっている。

②**外来での化学療法**

　桐原さんは，化学療法室で2回目の抗がん薬の投与を受けていた。看護師は，「ご気分はいかがですか。」と声をかけた。桐原さんは，「いまのところはなんともないです。初回の抗がん薬治療では，点滴した翌日ぐらいから吐いていたかな。しばらく胸がむかむかして，食欲がなかったわ。」と答えた。

　看護師は「それはつらかったですね。吐きけが続くときは，おとうふやヨーグルトなど，やわらかくて口に入れやすいものが召し上がりやすいと思います。」と話

した。

③桐原さんの仕事についての心配ごと

　看護師が仕事についてたずねると、「いまは休職していますが、2週間後には復帰する予定です。仕事はできるだけ続けたいと思っていますけど、副作用が心配です。」と答えた。

　看護師は、「副作用が強く出る日を週末にあてるように治療日を設定することもできますので、おからだの様子を見つつ、治療とお仕事のことを調整していきましょう。」と伝えた。

**かかわりの●
ポイント**　患者にとって外来での治療は、住み慣れた自宅でいつも通りの生活を続けられるメリットがある。一方で、帰宅後に副作用などのトラブルがおきれば、すべて自分で対処しなければならないことから、不安も大きい。患者が通院治療を受けながら、安心して生活や仕事を続けるための看護師による支援についてみていこう。

　①**看護師は、患者が話しかけやすい雰囲気や話し始めるきっかけをつくる**
　看護師の声かけをきっかけに、桐原さんは自分の状況や気持ちを話し始めている。忙しそうに動いている看護師は、患者にとって声をかけにくい存在である。外来受診の限られた時間のなかで、患者が相談したいときに相談できる雰囲気づくりが大切である。

　②**自宅での生活の様子を患者に聞き、つらさをねぎらう声かけをする**　自宅での療養生活は、すべて自分で対処しなければならない。患者にとっては不安も大きく、忍耐や努力が必要である。患者のその苦労を理解し、いたわる声かけが患者に安心感を提供することになる。

　③**自宅での過ごし方について具体的に助言する**　看護師は、吐きけが続いたときの対応方法を提案している。具体的な助言は患者のセルフケア能力を高め、じょうずにストレスコーピングを行うことへのたすけとなる(◯13ページ)。

　④**外来に通院している患者は、社会で生活している人であることを理解し、自己決定を支援する**　看護師は、仕事をしながら治療を続けるための方法を提案している。社会で生活している人であることを理解し、仕事や生活との両立を考えた支援をすることは、患者が、病気と折り合いをつけながらどう過ごしていくかを選択する自己決定への支援につながる(◯21ページ)。

■退院時のかかわり

　退院が近づくことは、患者や家族にとってうれしいことである。しかし、退院後の生活について、さまざまな不安に直面するときでもある。看護師は、患者と家族が退院に向けて不安に感じていることをよく聞き、具体的な対応をともに考え、安心して退院を迎えられるように支援していく。

■事例

①川本さんのこれまでの経過

　川本久信さんは，69 歳の男性であり，妻と 2 人暮らしである。歩くだけでも呼吸が苦しくなり，入院して治療を受けていた。症状は改善したが，肺からの酸素の取り込みが十分ではなく，退院後は在宅酸素療法を導入することとなった。

②退院に向けて不安そうな様子をみせる川本さんの妻

　退院が近づいたある日，妻は看護師に「病院だと看護師さんがいるから安心だけど，家では 2 人だけで大丈夫かしら。」と言葉をもらした。看護師は，妻のもつ不安に気づき，話を聞くことにした。

　看護師が「どんなことがご心配ですか。」と問いかけると，妻は「なにって聞かれると，具体的にはわからなくて……。」と答えた。

③看護師からの退院後の生活についての説明

　看護師が，「ご自宅で酸素療法をする姿をイメージするのはむずかしいですよね。酸素療法をするうえで，入浴や着がえ，料理，外出する際の注意点をのちほど説明いたしますね。」と説明すると，川本さんの妻は，「そうしていただけるとたすかります。自宅で困ったことがあったら，どうすればよいですか。」と話した。

　看護師は，「ご自宅では，2 人だけになるので心配ですよね。退院後は，ケアマネジャーや訪問看護師，医師，酸素療法の機器の業者が川本さんを支えていきますので，ご安心ください。困ったときにはどこに連絡すればよいかもお伝えいたします。」と答え，近々，退院後の生活について，全員集まって話をするために，都合のよい日をたずねることにした。

かかわりの●ポイント　看護師は，コミュニケーションを通じて，患者・家族のもつ不安の内容を明らかにし，具体的な対応策を提供することで，安心して退院に向かえるように支援している。かかわりのポイントを見てみよう。

　①患者・家族がもつ退院後の不安を傾聴し，不安の内容を具体的にしていく　看護師は，不安を訴える妻に，「どんなことがご心配ですか。」と問いかけ，心にかかえている不安を，まずは表現できるようにはたらきかけた。漠然とした不安の解決はむずかしいため，不安を表出してもらったうえで，不安の原因を一つひとつ一緒に考え，具体的にしていく（●33 ページ）。

　②患者・家族が，退院後の生活をイメージできるように説明する　看護師は，酸素療法を行いながらの川本さんの退院後の生活が，どのようなものになるのかを説明している。退院後にこれまでと生活が大きく変化する場合，患者や家族は退院後の生活をイメージすることがむずかしい。そこで，退院後の具体的なイメージがもてるような説明が大切である（●34 ページ）。

③患者・家族が，安心して自宅で暮らせるように社会資源を含めて環境を整える　看護師は，退院後に川本さんが使えるサービスについて説明し，連絡方法も伝えている（⏎34ページ）。さらに，退院後の生活を支える職種との話し合いの場もコーディネートしている。退院後の生活を支えるために有益なさまざまな職種間の調整をはかることは，看護師の重要な役割である。

❷ 経過別のコミュニケーション

　ここでは，はじめての受診から診断がつくまでの期間，急性期，回復期，慢性期，終末期という経過別に，それぞれの時期にあらわれる特徴的な場面をとりだし，看護師の患者へのかかわりを述べる。

　医療の現場では，患者のおかれた状況によって，ふだんの生活では感じることのない特有の感情が引きおこされる。看護師がその特徴を理解しておくことは，患者の訴えや行動を理解し，患者を支えていくことに役だつ。

■はじめての受診から診断がつくまでの期間のかかわり

　体調がわるくても，なかなか受診できないケースは多くある。仕事や育児，介護などで受診の時間をとることがむずかしい場合や，病気が見つかることをおそれている場合，自覚している症状を深刻なものと感じていない場合などである。深刻な診断結果を受け入れて，今後，治療を継続していく意欲を支えるために，看護師の役割は重大である。

■事例
①高田さんの受診が遅れた理由
　高田由美さんは，27歳の独身の女性であり，公務員である。半年以上前から左乳房のしこりを感じていたが，仕事が忙しく受診せずにいた。
　乳腺外来を受診した高田さんは，「強い痛みはなく，チクチクするだけです。なにか菌が入ったようなのです。」と医師に話した。そして，「仕事が忙しくて，なかなか病院に来る時間がなくて。」と言って笑顔を見せた。
②高田さんが自覚していた症状
　看護師は，診察のために上着を脱いでもらう際に，カーテンをしめながら，「忙しいなか，来られてよかったです。」と声をかけた。
　ところが，服を脱いだ高田さんの左乳房は，上半分にこぶしほどの大きさのしこりが赤くはれあがっており，今にも破裂しそうになっていた。医師はけわしい顔をしながら「いつからこんな状態に？」と質問をした。
③現実への直面
　医師の表情に，不安を感じた高田さんは顔を伏せて，「すみません，忙しくて。」と言いわけのように答え，「これって……。なにかわるいものでしょうか？」とたずねた。
　医師は眉をひそめながら，「検査をしないとはっきりしないですが，おそらくそ

う考えていいと思います。」と答えた。高田さんは，すっと無表情になり，うつむいて「そうですか。」と答え，その後は，ぼう然とし，医師からの検査の説明もよく聞いていない様子だった。

　看護師はその様子を見て，検査室に同伴し，そのままそばにいることにした。

　高田さんは少しうつむいて，「今後，入院になりますかね。職場に連絡を入れておかないと。これからすごく忙しい時期なんです。」と話した。看護師は「仕事のことは心配になりますよね。検査結果が出て治療方針を先生と話し合ってから職場に相談するのはどうでしょうか。」と提案した。

　高田さんはうつむいたまま「そうですね。家にも連絡しておこうかな……。」とため息まじりにつぶやいた。検査によばれるまでは15分ほどあったが，看護師はとくに話しかけることはせずに，その場でともに高田さんと過ごした。

**かかわりの●
ポイント**　症状が悪化するまで受診することができなかった患者は，診断を受けて自分の病気の深刻さと直面しなければならない。看護師は，動揺する患者のそばにいて，「私はあなたとともにいる」というメッセージを送り，これから始まる闘病生活の伴走者となる必要がある。どのようにその役割を果たすかについて，看護師のかかわりから見てみよう。

　①患者の不安な気持ちを行動から見きわめる　高田さんは一見，冷静に対応しているように見え，不安の訴えもない。しかし，しこりについて深刻でないように解釈しようとしていることや，深刻な場面で笑顔を見せるなどの状況は，患者の不安定な心理状態を示している。看護師は，患者の言葉や行動から，不安の程度を知ることができる（◯9ページ）。

　②患者の気持ちに共感し，決してせめない　看護師は，「忙しいなか，来られてよかったです。」と声をかけている。患者が，深刻な症状を自覚しながら受診できないのは，わるい病気であることへの恐怖心が背後にある（◯15ページ）。患者のそのような気持ちに共感を示し，医療者が寄り添う姿勢は，初診の患者にはとくに大切なかかわりである。

　③患者の気持ちの変化を見逃さない　医師の言葉によって，ぼう然とし，無表情で黙り込んでいる様子は，高田さんのなかで状況が変化したことを示すサインである。気持ちが変化するときは，看護師の新しいはたらきかけを受け入れる機会となる。

　④現実に直面する場面では，患者とともにいて支える　看護師は，あえて検査室に同伴することで，患者のつらい気持ちの支えとなっている。看護師の「そばにいる」というケアが，非言語的コミュニケーションとして機能し，患者の支えとなる（◯8ページ）。

⑤**患者のなかから, 闘病に向かう力を引き出す**　高田さんは, みずから家に連絡するという行動を選択している。1人でかかえこまずに, 誰かに相談するという行動の変化であり, 看護師の支えが引き出した, 患者の力である。

■急性期のかかわり

急性期は, 生命の危険に直面している状況であり, 必要な医療的処置が次々に行われる。患者は身体的な苦痛と気持ちの動揺によって, 自分を取り巻く状況をうまく把握することができない状況におかれる。

■事例
①岸さんに生じた異変
岸和彦さんは 61 歳の男性で, 印刷会社を経営している。取引先に向かう途中, 胸が締めつけられるような胸痛に襲われた。通行人が救急車を要請し, 病院へ搬送された。
②救急外来の状況と岸さんの思い
病院の救急外来に到着するころには, 胸の痛みは引いていた。看護師に名前と生年月日をたずねられるが, 「あっ, えっ」と口ごもった。別の看護師が「胸の検査をさせていただきます。」とワイシャツのボタンを外しはじめた。医師は, 「採血をしますね。」と左腕を消毒しはじめた。

複数の医師や看護師にとり囲まれ, 岸さんは自分になにがおきているのか, 理解できずにいた。しばらくして, 別の医師がベッドサイドで説明を始めた。「心筋梗塞をおこしていると思います。心筋梗塞とは……。岸さんの場合は……。心臓にカテーテルという細い管を入れて……治療をしていきます……」。岸さんには, 医師の言葉はまるで呪文のように聞こえた。

かかわりの●ポイント　急性期は, 命を救うために集中的に治療が行われる。患者は, 自分の身になにがおこっているのか, これからなにが行われるのかについて, まったく想像がつかない状況におかれている。事例を通じて急性期の患者のかかわりのポイントをみていこう(◐16 ページ)。

①**急性期の患者の身体の状況と心理を把握し, 患者に安心感を与える**　看護師は, 医師とともに処置に追われている。しかし, 患者が救急搬送された場合には, 身体の状況とあわせて患者の心理面にも目を向けたかかわりが必要である。看護師には, 患者を安心させるための声かけも求められている。

②**重要な情報にしぼって, わかりやすくはっきりと伝える**　医師や看護師は「胸の検査をします。」「採血をします。」という短い言葉で, 次に行う処置について患者に伝えている。大きな不安が生じている状況では, 患者は複雑な情報を受け取り理解することが困難になる。したがって説明は, 重要な

点にしぼって，わかりやすくはっきりと伝える。

　③**患者が十分に理解できるように支援する**　患者は，「医師の言葉が呪文のように聞こえた」と表現している。看護師は患者が必要な情報を受けとめられているかどうかを確認し，必要に応じて言葉をかえて説明したり，再度医師に説明を求めるなどの対応をすることで，患者を支援する。

■回復期のかかわり

　回復期になると，患者は，退院後の生活や社会復帰について考えることが必要になる。厳しい現実に直面することで，患者は，自信を喪失し，自己否定感をいだきやすい（◔12, 17ページ）。看護師の適切なかかわりは，失った自信を取り戻させ，再び自分らしく生きる道を考える力をつくり出す。

■事例

①近藤さんのこれまでの経過

　近藤将司さんは65歳の男性で，15年前に脳出血をおこし，右半身の麻痺と，言語障害がある。今回は，血管疾患のため両下肢を膝上で切断する手術を受け，リハビリテーション期に入ったところである。

　近藤さんは，手術後，自分で考えていたよりも，広範囲に下肢を切断されたと感じていた。「こんなに脚を短くされた。」と，医師や看護師に手術への不満を訴えていた。

②新人看護師の対応に怒る近藤さん

　車椅子（いす）で過ごす訓練が始まったが，近藤さんにとってはたいへんつらい訓練であり，しだいにリハビリを中断したり，休んだりする日が目だつようになっていた。看護師たちは，近藤さんへの対応について話し合い，タイミングを見はからって車椅子に移乗させ，スムーズにリハビリテーションに入れるよう計画した。

　数日後，近藤さんの病室から大きな声が聞こえ，新人看護師があわてた様子でナースステーションに戻ってきた。「近藤さんに車椅子を準備したら，急に怒りだして……。どなられてしまったのです。」とのことだった。リハビリテーションに近い時間に，タイミングよく「水が飲みたい。」というナースコールを受け取ったため，新人看護師は，近藤さんを車椅子に移乗させようとしたのだった。

③近藤さんの気持ちを聞く受け持ち看護師

　受け持ち看護師は，近藤さんがなにに腹をたてているのかを確認するとともに，リハビリテーションに消極的な理由を聞くよい機会だと考え，じっくり話を聞くことにした。

　近藤さんは，むっとした表情で「よくわかっていない若いやつがなにかをやろうとするのは，すごく怖い。車椅子に座らされても，約束の時間になっても誰も来ない。」と不満を訴えた。さらに話を聞くと，これまでの思いについて話しはじめ，「向かいの患者は外泊や外出しているのに，自分は1日中ベッドに転がされたまま

だ。」，「こんなに脚が短くなるとは聞いていない。」，「自分の話を聞いてくれない。若い看護師が自分を子ども扱いして，適当に返事をする。」と話した。

受け持ち看護師は近藤さんの訴えについて事実を確認し，謝罪をした。最後に，看護師への要望を聞いたところ，近藤さんの要望は「話をきちんと聞いてほしい」というただ1点だった。

④他職種への情報の共有と対応

受け持ち看護師は近藤さんとの話の内容を，ほかの看護師や主治医，理学療法士に共有し，今後の方針について話し合った。必要な説明や誠実な対応により，その後，近藤さんはおだやかに過ごすようになり，待ち望んだ自宅へ退院した。

かかわりの●　この事例は，新人看護師のかかわりをきっかけに，回復期の患者の感情が
ポイント　爆発した場面である。患者の感情をしずめ，よいかたちで退院を迎えられるように導いた受け持ち看護師のかかわりのポイントを理解しよう。

①回復期は，患者の感情が揺らぎやすい時期であることを理解する　近藤さんの怒りの引きがねとなったのは，新人看護師の対応であった。回復期の患者はさまざまな不安をかかえており，感情的に揺らぎがおこりやすい時期であることを理解することが必要である。

②患者の感情的な言葉に，看護師は感情的に反応しないように心がける
患者の怒りを前に，新人看護師はあわてて患者の前から離れているが，受け持ち看護師は患者の感情に巻き込まれず，落ち着いてじっくり話を聞く姿勢を示している。患者の感情的な反応に，看護師は感情的に応答しないことが必要である。

③なにが患者の怒りの原因であるかをつきとめる　新人看護師はリハビリテーションにスムーズに行けるように車椅子を準備したつもりだったが，患者にはその意図を伝えていなかった。患者の怒りは，看護師による説明の不足や患者と看護師の間の理解のズレによって引きおこされる（◯11ページ）。理解のズレにより生じる問題は，看護師が気をつけることで防ぐことができる。

④患者の意欲を引き出すようにかかわる　受け持ち看護師は，近藤さんに謝罪し，さらには医療チーム全体の調整を行っており，それによって患者の怒りや不安が解消されている。看護師の誠実な態度は，患者の怒りをしずめ，患者が本来立ち向かうべき問題に取り組む力をつくり出す。

■慢性期のかかわり

慢性疾患をもつ患者の生活の調整では，患者自身が意思をもって，自分で

行動をかえていく動機づけが必要である。それにあたって看護師に求められることは、患者に正しい知識を教え込むことではなく、患者のなかから、正しい知識を学ぼうとする姿勢を引き出すかかわりである（◑17ページ）。

■事例

①福田さんの入院の経緯

　福田雄一さんは55歳の男性で、妻と2人暮らしの会社員である。48歳から2型糖尿病で治療を受けているものの、少しよくなると自分の判断で通院を中断し、悪化することを繰り返していた。検査結果がよくないため、今回、教育目的で入院をすることになった。

②福田さんなりの考え

　看護師が福田さんに、入院についてどのように感じているのか聞くと「血糖を下げる方法は自分でよくわかっている。とにかく早く仕事に戻らないと。」と答えた。

　福田さんは「血糖が高いから糖質を控えるよ。糖尿病なんだから、糖質をとらないほうが実際のところはよいわけでしょう？　お米を食べても大丈夫なのかね。手っとり早く血糖を下げるには、糖質制限が効果があったよ。」と言って、入院1日目から主食は一切食べないという自己流の食事制限を始めてしまった。

③看護師の対応

　看護師は福田さんなりの食事制限について否定せず、時間をとってしっかり話を聞いた。聞き終えてから、ゆったりとした口調で「血糖コントロールは今後の生活のためにもすごく大切です。だからこそ、いまの血糖値にこだわるのではなくて、血糖値を長く安定させられる方法について勉強してみませんか。忙しいな

かせっかく入院されたのですから、福田さんが今後も元気でお仕事ができるようにサポートしたいです。」と告げた。

　福田さんは少し考えてから、「そうだね。まだまだ元気に働かなきゃいけないしね。実のところ、糖質制限は食べた気がしないし、おなかがすくから結局、長続きはしないのはわかる。あなたが言うように、本当は長く血糖を安定させられることがいいんだろうね。」と答えた。

④退院に向けて自信をつけた福田さん

　その後、福田さんは病院で出される食事を残さず食べるようになり、糖尿病のメカニズムや食事療法についても積極的に学ぼうとする姿勢にかわった。

　看護師は福田さんからのさまざまな質問に答えながら、福田さんが退院後の生活を具体的にイメージできるようにかかわった。退院前の最後の面接指導の際に、福田さんは「やっとコントロールができそうな気がする。毎月の受診での血糖の検査

がむしろ楽しみになった。最初はどうせ入院したってむだだと思っていたけれど，今回の入院で糖尿病についてよくわかってよかった。」とうれしそうに話した。

かかわりの●ポイント 慢性疾患をもつ患者の気持ちに変化をもたらす看護師のよいはたらきかけは，患者の行動に変化を引き出し，病気の悪化を防ぎ，長期間よい状態を維持することにつながる。患者の行動に変化をもたらした看護師のかかわりについて，事例をふり返ってみよう。

　①**患者の立場にたって考える姿勢をもつ**　看護師は，「早く仕事に戻らないと。」という患者の言葉から，患者の生活のなかでの仕事の大切さをくみとっており，「忙しいなかせっかく入院されたのですから。」と伝えている。患者の世界への理解を示す看護師の言葉かけは，患者との信頼関係を築くうえで重要である。

　②**患者の思いを，まずはよく聞いて受けとめる**　看護師は，患者の考えや行動を否定することなく，聞く姿勢でかかわっている。福田さんの自己流の食事制限は，誤った制限方法であるが，どのような状況でも，まずは患者の思いを受けとめる姿勢が必要である（◯30，32ページ）。

　③**患者の視点の変化を促すはたらきかけをする**　看護師は，福田さんの自己流の食事制限について，否定せずに，より効果的な方法として正しい方法を提案している。この言葉を受けて，福田さんは看護師の言葉を受け入れ，自分の行動をふり返ることができた。気持ちの変化は，行動の変化をもたらすことにつながる（◯35，42ページ）。

　④**患者に自信をもたらすかかわりを心がける**　患者の質問に対して，看護師が一つひとつこたえることで，退院時の福田さんには自信がめばえている。退院後に継続して適切な行動をとるために，患者が自信をもつことはとても大切である。

■終末期のかかわり

　終末期になると患者は，さまざまな苦痛な症状を経験し，いやがおうでも死を意識するようになる。身体的な苦痛と死への不安と恐怖を抱く患者と対面する場面では，看護師も一人の人として，自分自身の生き方や死生観を直視することになる。

■事例
①峰さんのこれまでの経過
　峰雅美さんは，56歳の女性である。2年前に子宮体がんのため手術を受け，その後外来で抗がん薬の治療を続けていた。1年前に腰痛と腹部膨満感が出現し，検査

の結果，がんの転移が見つかり入院となった。

②身のおきどころのないつらさ

看護師は夜間巡回中，明かりがもれる峰さんの部屋に気づき，「眠れないですか」と声をかけた。峰さんが「痛みは強くはないけど，からだが重くて。上を向くと息苦しくなるし，横を向いても身のおきどころがなくて……。寝つけないのよね。」と答えると，看護師は「眠れないのはつらいですよね。体勢を整えてみましょうか。」とふとんをめくり，両脚の間にクッションをはさみ入れた。「らくになったかもしれない。」と，峰さんはほほえんだ。

③峰さんとの話

しばらくして，看護師は，峰さんの様子を確認するために部屋を訪れた。カーテンを静かに開けると，峰さんと目が合った。「少しは眠れましたか？」と声をかけると，首を横に振った。

看護師は，「少し，横に座ってもよろしいですか。」と声をかけ，ベッドサイドにある椅子に腰を下ろした。

しばらくの沈黙のあと，峰さんは「私，もうそろそろよね。」とつぶやき，看護師に向けていた視線を天井に移した。看護師は「えっ」と困惑し，返す言葉が見つからなかった。

それを察したように，峰さんは「そんなこと聞かれても，答えられないわよね。ごめんなさい。覚悟はしていたけど，なんで私ががんになったのだろう。なにもわるいことをしていないのにね。」とつぶやき，自分の生いたちや家族のことを話しはじめた。看護師は峰さんの肩をさすりつづけた。

かかわりの
ポイント
終末期の患者は，やがて訪れる死を前に，大きく揺さぶられながらも気持ちの整理をしようとする（⊕17ページ）。終末期の患者に寄り添う看護師のかかわりを見てみよう。

①**終末期に出現する症状を予測しながらかかわる**　看護師は，峰さんが眠れているかどうかを気にかけ，状況の観察に努めている。終末期の患者は，苦痛な症状や精神的な不安や恐怖によって，ケアのニーズの高い状況にある。

②**終末期の患者がいだく不安や恐怖を理解する**　峰さんは「眠れない」と訴えている。終末期患者の眠れないという訴えには，死への不安や恐怖が強く反映されている。ほかにも，不安や恐怖は，黙り込む様子や暗い表情，落ち着かない行動などと，人によってさまざまに表現される（⊕10ページ）。

③**終末期の患者の身体的，精神的苦痛に対して支援する**　看護師は，患者が体験している苦痛を予測して声をかけ，体位を工夫している。終末期の患者の苦痛を完全に取り除くことはむずかしいが，患者にしっかり目を向けて，寄り添おうとする看護師のかかわりは，患者の孤独を癒すことができる。

④**患者とともにいることで，患者が安心して死を考える場を提供する**　看

護師がベッドサイドで患者に寄り添ったとき，患者から「私，もうそろそろよね。」という重要な問いかけがなされている。終末期には，患者は死への恐怖におののきながらも，懸命に死について考えようとしている。看護師からの答えは必要ではなく，患者が安心して死について考え，語ることのできる場づくりが看護師の大切な役割である。

⑤**看護師自身の死生観に向きあい，育てる**　患者からの問いに対して，看護師は気持ちが動揺している。しかし，このときこそ看護師は，患者のそばに居とどまる勇気と覚悟が必要である。看護師自身の生き方や死生観，価値観が問われる場でもある。日ごろから，自分の死生観を考えることが必要である（⊃ 18 ページ）。

③ 困難な場面でのコミュニケーション

　　ここでは，看護師の対応が困難な場面でのコミュニケーションをとりあげる。困難な状況は，さまざまな原因によって引きおこされるので，すべてに共通するかかわりが存在するわけではない。困難な状況が生じたときには，看護師はそのつどていねいに状況を整理しながら，どこに解決の糸口があるのかを考える必要がある。

■事例

①清水さんの行動に生じた異変

　　清水幸雄さんは72歳の身なりのきちんとした紳士的な印象の男性である。しかし，最近はしばしば歯をみがかないで寝てしまったり，朝にひげをそらないまま出かけてしまったりするなどと行動に異変が生じ，妻は認知症ではないかと心配していた。

②脳腫瘍の診断と入院

　　精密検査の結果，清水さんは脳腫瘍と診断され，すぐに手術のために入院することになった。

　　入院したのち，昼食の配膳に行った看護師が声をかけたところ，清水さんは「うるさい！　用がすんだらとっとと出ていけ！」とどなり声をあげた。

③家に帰ろうとする清水さん

　　看護師は，深夜勤で再び清水さんを担当した。23時ごろ，清水さんは外出着に着がえ，おだやかな表情で「あぁ，看護師さん。いろいろとお世話になりました。」と言って病室を出ていった。

　　看護師は急いで追いかけ，「清水さん，待ってください。明日は手術の日ですよ。それにいまはもう夜中です。帰るのは無理ですから，お部屋に戻ってお休みください。」と歩きながら声をかけたが，聞き入れてはもらえなかった。

　　看護師は，清水さんの腕に手をかけ，声を荒らげて，「清水さん，いまは帰れませんから。とにかく病室に戻りましょう。」と病室に誘導しようとした。そのとたん，清水さんの表情がこわばり，「なんだとお前！」と大声で激高し，看護師の手を強く振りほどいた。看護師はビクっとして，その場で立ちすくんでしまった。

かかわりの●
ポイント

　コミュニケーションの問題はさまざまな原因で生じるが，清水さんのケースでは，疾患によって脳のはたらきが障害されたことが原因となっていた。深夜に病室を抜け出したことは，看護師には問題行動に見えたが，患者にとっては，いつものように自分の家に帰ろうとしただけだったのである。看護師のかかわりから，困難な場面での対応のポイントを考えてみよう。

　①患者の衝動的な言葉や行動の原因について理解する　看護師は，病院を出て行こうとする清水さんに，明日が手術であることや，夜中だから帰ることは無理であると説明している。しかし，ここでの問題行動は，疾患による認知機能の面の障害が原因であるため，その場での気持ちをくんで声をかけ

Column

医療コミュニケーションにおける ICT の活用

　近年，医療における情報通信技術 information and communications technology（ICT）の活用が注目されている。ICT とはインターネットなどを用いたコミュニケーション技術のことである。

　日本には，常駐する医師がいない離島や過疎地といった無医地区や，山間部のように医療機関までの交通の便がわるい地域が数多く存在し，このようなへき地における地域医療体制の確保が課題となっている。医療過疎地における，対面診療の補完としてインターネットを利用したオンライン診療の需要が高まり，2018 年度の診療報酬改定では「オンライン診療料」が新たに創設された。

　これにより，患者は医療機関へのアクセスがむずかしい場所に住んでいても，通院の負担なく，必要な医療を受けるしくみが整ってきた。今後は，服薬指導や栄養指導といった患者指導にも活用が期待されている。また，2020 年に世界的に流行した新型コロナウイルス感染症は，感染の疑いのある人が診療所を受診することで感染を広げるおそれがあったことから，Zoom などのテレビ会議サービスや電話を用いた診療を導入した医療機関が増えた。このように，オンライン診療は感染予防の観点からも活用が可能であると考えられる。

　また，ICT は，患者どうしのコミュニケーションツールとしても活用できる。同じ病気や障害をもつ人どうしが集まるコミュニティを，患者会・患者サロン・セルフヘルプグループなどといい，当事者どうしで情報や体験を共有し，支え合っている。従来，このような会は，地域ごとに発足し，病院や地域の交流スペースを使って集まる方法が主体であった。

　しかし，ICT を用いれば遠方の患者どうしが直接つながることができたり，障害や治療の影響で移動がむずかしい場合でも家から参加ができたりすることから，社会活動が可能となる。ICT は，ときに孤独になりがちな闘病を支えるツールにもなっている。

るほうが効果的だっただろう（◎24ページ）。看護師は，どのような原因によって生じているコミュニケーションの問題であるかどうかをよく把握して対応することが大切である。

　②**看護師自身の感情をコントロールする**　看護師は昼間に清水さんにどなられたことで，恐怖心もあった。そのため，清水さんを追いかけ，病室に戻ってもらおうとして，声を荒らげ，腕を引き寄せるという強い対応に出ている。看護師も不安や恐怖を感じる場面はある。そのようなときには，落ち着いて適任者に相談することが大切である。看護師の感情的な対応は，かえって事態を悪化させるので注意が必要である。

　③**対応が困難な事例は情報を共有し，チーム全体でかかわる**　このような事例では，カンファレンスで情報を共有し，チームで対応を検討することが大切である。1人の看護師がかかえ込むことは，患者へのよい対応につながらないばかりか，かえって状況を悪化させる危険がある。

　④**事例のふり返りを行い，次回の対応にいかす**　困難事例は，なにが解決に結びついたのかについて，具体的なかかわりをふり返り，事例を蓄積していくことが大切である。記録は，類似した場面が生じたときに，いち早く有効な看護介入を行い問題解決に導くことを可能にする。

●参考文献
1）上野徳美ほか編：人間関係を支える心理学．北大路書房，2013.
2）原岡一馬編：人間とコミュニケーション．ナカニシヤ出版，1990.

まとめ

- 良好なコミュニケーションのためには，看護師自身が，自分をよく知り，向き合うことが必要とされる。また，それぞれがもつ価値観の違いを意識しておく必要がある。
- 質問の仕方には，開かれた質問と閉じた質問がある。
- コミュニケーションによる援助の目的には，情緒的な支援と情報的な支援がある。
- 医療の現場におけるコミュニケーションでは，それぞれの場面の特徴を理解し，患者からのメッセージをとらえながらかかわっていく必要がある。

復習問題

❶〔　〕内の正しい語に丸をつけなさい。

① 「食欲はありますか」という質問は〔開かれた質問・閉じた質問〕である。

② 患者の心の奥深くにある内容を聞く必要があるときは，〔開かれた質問・閉じた質問〕を用いる。

③ 入院は，患者にとって〔不安・怒り〕を感じる場面であり，看護師のかかわりが重要である。

④ 終末期の患者が死について考えようとするとき，看護師の役割は〔答えを伝える・患者が語ることのできる場をつくる〕ことである。

❷ 次の空欄を埋めなさい。

▶ じっくりと患者の言葉に耳を傾けることを〔①　　　〕という。さらに，その世界を理解することを〔②　　　〕という。

▶ 患者とコミュニケーションをとる際に，援助者としてふさわしい立ち位置は〔③　　　〕cm 以内である。会話の際には，相手と〔④　　　〕度で顔を合わせる位置が適している。

▶ 検査結果を待つ患者とのコミュニケーションでは，患者の〔⑤　　　　　〕状態をよく見きわめ，患者のおかれている状況を理解する必要がある。

❸ 次の問いに答えなさい。

① 看護師が行う患者に対する情緒的な支援の例を3つあげなさい。

答〔　　　　　　　　　　〕

② よいコミュニケーションのためのベッドサイドの環境整備における注意点を3つあげなさい。

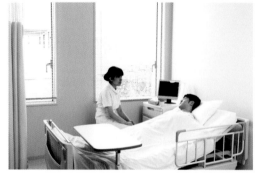

答〔　　　　　　　　　　〕

看護を安全に実施するための知識・技術

A 安全・安楽

　人間は誰でも安全で安楽に生活したいという基本的な欲求をもっている。そして人間には本来，自分の身をまもるために危険を回避する能力，たとえば，熱いもの触ったときにすぐに手を引っ込めるなどの脊髄反射や，危険を察知するための五感（視覚・聴覚・嗅覚・味覚・触覚）が備わっている。

　しかし，子どもや高齢者は，これらの機能が未熟であったり，あるいは低下していたりすることがある。また，病気によって身体的，心理・社会的機能が低下している患者も，同じようにさまざまな危険な状態に陥（おちい）りやすい。安楽は安全が保たれた状態で得られるものであり，このような状態では安楽を得ることもむずかしくなる。

　看護の「護」という文字には「まもる」という意味があるように，まさに対象者の安全をまもり，そのうえで安楽な状態へと援助することが大切である。そして，いかなる場面においても，安全・安楽をふまえた援助を行っていく必要がある。ここでは，安全と安楽の基本的な概念について理解し，安全・安楽をまもる技術について学習しよう。

1 安全・安楽の定義

基本的欲求と●
しての安全
　安全とは，人間として生きるうえで身体的にも心理・社会的にも心配がなく，危険がない状態をいう。心理学者のマズロー A. H. Maslow は，人間の基本的欲求（ニード）を低次から高次へ階層構造で示した（●図 2-1）。このうち**安全のニード**は，健康な状態であり，事故を防止し，経済的に安定していることや，予測可能で秩序（ちつじょ）だった状態にあることへの欲求である。また，安全のニードは，最も低次で生命維持に必要なニードである生理的ニードの次に位置づけられており，欠くことのできない基本的欲求であると説明している。

　ヘンダーソンは，人間は基本的欲求をもつ存在であり，健康であれば欲求をみずから満たすことができるが，それが満たせないときに 14 の基本的看護ケアが必要となると述べた（●163 ページ）。その 1 つが「患者が環境の危険

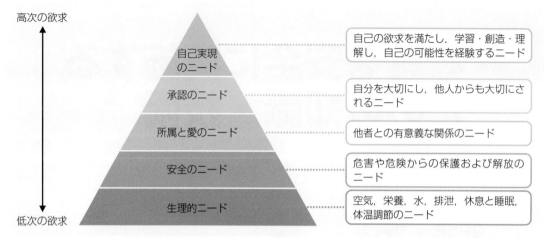

● 図2-1　マズローによる基本的欲求(ニード)の階層

を避けるのをたすける。また，感染や暴力など，特定の患者がもたらすかもしれない危険から他者をまもる」ことであるとし，環境の調整，保護的機能，安全教育を行うことは基本的看護の一部であると述べている。

基本的欲求と●　**安楽**とは，身体的または心理・社会的に苦痛がなく，「気持ちがよい」「い
しての安楽　いあんばいだ」というように心安らかな状態をいう。安楽は安全のうえになりたっており，安全がまもられていなければ，安楽は得られない。たとえば，シャワー浴の介助は患者に爽快感をもたらすものである。しかし，湯温が高すぎる，あるいは低すぎると，患者は危険を感じて，その援助を受けることを拒否するようになるだろう。

　また，安楽は心理・社会的な意味合いも強く，人間らしさにかかわってくる。マズローの欲求理論でいうならば，所属と愛のニード，承認のニード，自己実現のニードにかかわってくる要素である。つまり，自分の居場所があって大切にされ，自分の意見が尊重されてやりたいことに取り組めていることが究極的な安楽の保持ということになるだろう。その意味では，患者に尊敬の念をもって，ていねいな言葉で話しかけることや，話をよく聞くことも，安楽をもたらす援助となる。

2 安全・安楽を阻害する因子

　人間の安全・安楽を阻害する因子は，人間の外的環境や内的環境のいたるところに存在している(● 図2-2)。

　外的環境は，病原微生物，薬物，破損した物品，騒音，悪臭，整理整頓不足といった物理的・化学的・生物学的環境と，医療者の知識不足，管理体制の不備，経済的不安定といった人的・社会的環境からなる。

　内的環境は，苦痛，不安，恐怖心，知識不足，思い込みなどの対象者自身の因子によるものをさす。安全・安楽をまもる援助を行うためには，日ごろ

① よごれた寝衣
② シーツのしわ・よごれ
③ 使用後放置されたポータブルトイレ
④ 倒れたごみ箱
⑤ よごれたままのオーバーベッドテーブル
⑥ 抜けたままのプラグ

⑦ 廊下に放置された車椅子
⑧ 水でぬれた床
⑨ 大きな声・音

➡ 図 2-2　個人の安全・安楽を阻害する因子の例

からそれらを予測して対応することが必要である。

❸ 安全・安楽をまもる看護の役割

　　看護師は、患者が安全・安楽に療養生活を送れるように、いかなる場面でも安全・安楽をまもる視点をもち、援助を行うことが求められる。その土台は、正しい知識と適切な態度に基づく確実な看護技術を提供することである。ここでは、安全・安楽をまもることに焦点をあてて看護の役割を述べる。

環境の整備●　患者の療養生活環境の整備は看護師の役割である。患者のベッド周辺や廊下の環境をよく見てみよう。➡ 図 2-2 のような、安全・安楽を阻害する環境になっていないだろうか。毎日を過ごす療養生活環境が、安全かつ快適であることは、患者にとっての基本的欲求である。そのために、看護師は環境整備を毎日行うとともに、患者への処置・ケアを行う前後でも環境と物品の整理・整頓を心がける。

危険予測●　また、看護師は、患者の療養生活環境が安全・安楽であるか日ごろから観

察を行い，危険予測を行う。危険予測とは，周囲の状況をよく見て考え，見えない危険に気づくことである。たとえば，「水でぬれた床で患者は転倒するかもしれない」，「排泄後，そのまま放置された便器を患者が気にして，自分でかたづけようとして転倒するかもしれない。あるいは患者の点滴が抜針するかもしれない」というように予測するのである。

阻害因子の除去● 　もし，安全・安楽を阻害する因子に気づいたならば，すみやかに阻害因子の除去を行う。 ○図 2-2 の場合であれば，床のふき掃除や便器のあとしまつをすることである。患者を事故から未然にまもり，あるいは不快な感情や不安をもたせないようにする。

適切なコミュニ● 　患者の安全・安楽をまもるためには，患者自身もベッド周辺を整頓し，希
ケーション 　望・意向を看護師に伝えるなど，患者からの協力が不可欠である。そのためには，適切なコミュニケーションが大切である。患者の思いを考えずに一方通行に話したり，威圧的な態度をとったり，確認不足による思い込みをしたりするといった不適切なコミュニケーションは，それ自体が安全・安楽の阻害因子となる。看護師は，これらのことをまず自覚する必要がある。

保護的役割● 　認知機能の低下により治療上の制限をまもれない場合や，錯乱が生じて自傷の危険があるといった場合には，患者がみずからの安全・安楽をまもることが困難となる。このようなときに患者の行動を制限して保護することも看護の役割である（○67 ページ）。ただし，保護がいきすぎてしまうと，人権などの倫理上の問題が生じることもあり，慎重に検討する必要がある。

④ 安全・安楽をまもる技術

　先に述べたとおり，看護師は，患者の安全・安楽を阻害する因子に早期に気づき，事前に対策を講じていく。それと同時に，看護師自身が患者の安全・安楽の阻害（そがい）因子になりうることや，患者が看護師の安全をおびやかしうることも自覚しておく必要がある。

　ここでは，安全・安楽をまもる技術としての医療事故防止，患者の安全をまもる技術としての抑制法，感染予防策について述べる。

① 医療安全と医療事故防止

医療安全● 　医療安全とは，医療事故を防止し，医療の安全を確保するための考え方やしくみをいう。患者の安全・安楽をまもるためには，日ごろから，環境を整える，危険な因子を取り除く，適切なコミュニケーションをとる，ミスがおこらないための手順書をつくるなどの対策を実施することが大切である。それでももし，患者の安全・安楽をおびやかす事象（じしょう）が生じた場合には，すみやかに対応するとともに，原因を究明し，繰り返さないための対策・改善を組織としてはかっていかなければならない。

医療事故の防止● 　医療事故とは，医療場面で患者や医療者になんらかの被害が発生した事象

```
┌─────────────────────────────────────────────────────────────┐
│ 患者と医療者との信頼確立                                       │
│                                                               │
│  ● インフォームドコンセント                                   │
│  ● 倫理的配慮                                                  │
└─────────────────────────────────────────────────────────────┘

┌─────────────────────────────────────────────────────────────┐
│ 医療安全のための環境整備                                       │
│                                                               │
│  ● あやまちが生じにくいしくみづくり                           │
│  ● 医薬品・用具の点検使用および改良                           │
└─────────────────────────────────────────────────────────────┘

┌─────────────────────────────────────────────────────────────┐
│ 医療システム全体の問題としての見方                             │
│                                                               │
│  ● 対策は関係者全員で取り組む                                 │
│  ● 原因の探求（ヒヤリ・ハット事例分析，医療事故などの情報収集・分析）を行う │
└─────────────────────────────────────────────────────────────┘
```

（厚生労働省「医療安全推進総合対策」をもとに作成）

◎ 図2-3　医療安全対策の3つの柱

のことをいい，そのときに明らかな過失があった場合を**医療過誤**という。重大な過失があった場合には，看護職にも禁錮や罰金，業務停止などの刑事処分や行政処分が下されることがある。

　医療事故にはいたらなかったが，ヒヤリとしたり，ハッとしたりという経験や事例を**ヒヤリ・ハット**，あるいは**インシデント**という。それに対して事故にいたってしまった場合を**アクシデント**という。ヒヤリ・ハット事例は**インシデントレポート**として報告され，医療安全のために活用されている。

**医療安全の　**　厚生労働省は2001（平成13）年を「患者安全推進年」と定め，それからさ
**考え方　**まざまな医療安全推進対策を示してきた（◎図2-3）。医療安全の考え方は，これらの対策の方針が基盤となっている。この方針の特徴は，医療事故の防止と医療安全について，看護師個人はもとより，医療関係者全員，あるいはシステム全体で取り組むとしたところである。

**看護職が関与　**　日本看護協会と日本医療機能評価機構がまとめた，看護職が関与した医療
**した医療事故　**事故の例を◎表2-1に示した。事故の特徴をみると，知識不足，思い込み，確認不足，確認の怠り，人手不足，重複業務などが複雑にからんでいる。看護師が原則に従って注意深く行えば防ぐことができるものから，看護師個人ではなく環境やシステムの改善が必要な事象までもが含まれている。これらの事故をよく分析し，「自分も医療事故をおこしうる」という気持ちでつねに慎重な行動をとることが大切である。

**患者の誤認防止　**　医療安全のためにさまざまな対策が提案されている。ここではまず，基本となる患者誤認防止対策について述べる。それは，わが国における医療安全の歴史が，1999（平成11）年の横浜市立大学医学部附属病院での患者取り違えが発端になっているからである。この事故は，看護師の思い込みと確認不足が一因となり，重大な事故につながった。

⇨ 表2-1　看護職が関与した医療事故の例

大項目	項目	事故の特徴
日常生活の援助	食事と栄養	食事による窒息，異物誤飲による窒息，患者を取り違えての配膳
	清潔	入浴時のやけど・溺死，口腔ケア後の急変
	移送・移動・体位変換	手術固定による褥瘡・麻痺，移送中の転落（看護補助者）
	転倒・転落	ベッドからの転落，窓からの転落，転倒
	環境調整	病棟内での自殺，拘束中の窒息，抑制による傷害・血流障害，湯たんぽでのやけど
医学的処置・管理	与薬	誤薬（薬剤間違い，患者間違い），ワクチンの誤投与，薬剤過剰投与疑い，器具の不適切使用，注射での神経損傷，抗がん薬のもれ，点滴もれ，カリウム製剤の希釈間違い
	輸血	異型輸血
	処置	処置後のガーゼや器具の取り残し，手術部位間違い，テープ切断時の指の切断，永久気管孔の管理不良，未滅菌物の使用，グリセリン浣腸の直腸穿通
	機器一般	心電図モニターのチャンネル設定間違い，操作や手順のミス（アラーム対応，透析回路の準備，動脈ラインの準備，手動式肺人工蘇生器の組み立て）
	人工呼吸器	テスト状態からの戻し忘れ，処置後の再開し忘れ，電源の入れ忘れ，回路の誤接続
	酸素吸入	補助器具間違い，酸素ボンベと二酸化炭素ボンベの取り違え，酸素ボンベの残量の確認不足，酸素吸入器の外れ
	チューブ・カテーテル類	食道誤挿管，人工透析チューブの外れ，補助人工心臓のチューブ外れ，中心静脈カテーテル接続部のゆるみ，挿管チューブのカフ切断，気管カニューレ外れ，ラインの誤接続，誤ったチューブの選択，栄養チューブの肺への誤挿入
情報・組織	情報・記録	患者情報の紛失，カルテの破棄
	組織	分娩時の連絡体制の不備，口頭指示の解釈間違い
その他	その他	指示のない注射実施，カンガルーケア中の新生児の観察の不足，筋弛緩薬の紛失

（日本看護協会：看護職が関与した医療事故報道について，および，日本医療機能評価機構：医療事故情報収集等事業報告書をもとに作成）

　　　　患者誤認とは，ある患者を別の患者と間違えることであり，事故防止のためには⇨**表2-2**のような対策を行う。病院によっては，「指差し呼称（確認の対象を指でさし，口に出して言い，耳で聞く）」を導入し，誤認を防いでいるところもある。ただし，ただ機械的に行うと，患者は看護師が自分の名前を覚えてくれていないと思い，信頼関係が築けないことがある。そのため，実施には注意も必要である。

学生がとるべき●　　看護学生は，まだ看護職としての免許をもっていない。しかし，看護学実
医療安全行動　　習では病院の場に身をおくため，スタッフの一員とみなされて，学生が患者

○ 表2-2　患者誤認防止対策

フルネーム確認	患者本人に氏名を名のってもらう。フルネームで確認する。
ダブルチェック	複数の看護職員どうしで，患者の氏名を復唱する。
同姓同名の患者がいる場合の注意喚起	カンファレンスや掲示などで，患者の違い・特徴を明示し，注意を促す。
リストバンドや診察券によるID確認	入院時に装着した患者識別用リストバンドや診察券のIDを，バーコードシステムなどの機器で確認する。

○ 表2-3　看護学生がとるべき医療安全行動

①自分自身の思考や行動の傾向を自覚する(忘れっぽい，緊張しやすいなど)。
②なにごとも「へんだな」と思うことは，言葉にしてみる。
③実習指導者や教員との「ホウ・レン・ソウ(報告・連絡・相談)」を徹底する。
④もしヒヤリ・ハットや事故が生じてしまったら，あわてず患者の安全確認のみを行い，その後すぐに実習指導者と教員に報告する。
⑤もしヒヤリ・ハットや事故をおこしたら，自分をせめることをせず，そのできごとを学習の材料とし，学習を深める。

や家族から頼まれごとをすることがある。ときには，医療用の物品や患者の私物を破損してしまうこともあるかもしれない。そのような場合に，患者や家族に危害を与えないためにも，看護学生には医療安全行動をとることが求められる(○ 表2-3)。

❷ 抑制法(身体拘束)

抑制とは●　認知機能が低下して治療上の制限がまもれない，せん妄[1]や精神錯乱が生じてベッドから転落しかねない，暴れて自傷の危険があるなどの場合には，対象者の安全をまもる目的で，行動を制限することや，身体を拘束する器具を用いることがある。これを**抑制**または**身体拘束**という。

　抑制は，以前は一般的な看護技術の一つとして行われていたが，患者の安全をまもるためとしながら，患者の自由を奪うことになり，人権擁護の観点から問題視されていた。介護保険法の施行に伴い，1999年に厚生省(現在の厚生労働省)令により身体拘束の禁止規定が通達された。2001年には「身体拘束ゼロへの手引き」が出され，緊急でやむをえない場合を除いて，患者の行動を抑制する行為を行ってはならないこととなった。

　ここでは，緊急でやむをえず抑制を実施する場合の基準，および安全・安楽に配慮した抑制の実施方法，観察，ケア方法について説明する。

実施する基準●　患者に抑制の実施が必要であるかどうかの判断は，看護師による患者につ

---

1) 身体疾患などによっておこる，精神症状や行動異常を伴う意識障害。ときに幻覚や妄想，興奮などを伴う。

いての情報提供のもと，医師が行う。医師は，次の3項目を基準として抑制の必要性を判断する。

(1)切迫性：抑制をしないと生命または身体が危険にさらされる可能性が著しく高い。

(2)非代替性：それ以外の方法がみつからない。

(3)一時性：行動制限は一時的なものである。

　したがって，高齢者が歩行すると転倒するからなどという理由で，抑制を行うようなことがあってはならない。

使用する物品●　抑制に使用する器具には，全身を抑制するもの，部分的に抑制するもの，行動を察知するセンサーなどがある。

　全身を抑制する場合には，ベッドに取りつける抑制帯やさらしひもなどが用いられる。さらしひもの場合には，固定する場所にあてもの(あて布など)を用意する。手の動きを抑制するものにミトンタイプの抑制帯があるが，日常的には使用しないようにする(●図2-4-a)。また，抑制をせずに患者の行動を早期に察知して移動を抑止する用具として，離床センサーがある(●図2-4-b)。これも抑制用具であることに留意する。

実施方法●　患者をベッド上で抑制する方法を●表2-4に示す。やむをえず抑制が必

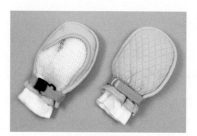

a. ミトン

自傷行為の防止などの
目的で用いられる。

b. 離床センサー

センサーの上に患者の足が
乗るとナースコールが鳴る。

●**図2-4　抑制に使用する器具**

●**表2-4　抑制の実施方法**

①患者本人もしくは家族などの代諾者に，抑制を行う理由を説明して，同意を得る。
②患者がベッドの中央に安楽な姿勢で臥床していることを確認する。
③抑制する患者の身体(体幹・手・足)に抑制帯あるいはさらしひもをつけ，適度なゆとりをもたせてベッドフレームに固定する。強すぎず，かつゆるすぎて外れないように固定する。さらしひもを用いる場合は，ひもを8の字に交差して輪をつくり，手首や足首にあてものをあてた上に輪を通してひもを結ぶ。
④抑制実施後の患者の姿勢や行動，見当識(意識状態)を30分ごとに観察する。
⑤抑制を行った場合には，実施理由，実施方法，開始・終了時刻，患者の反応などの観察事項を記録に残す。

要となった場合でも，必ず，抑制をしない方法の検討を行う。また，抑制の実施時であっても，2時間ごとに抑制をとくようにする。看護師や家族が患者のそばにいるときは，観察を行いながら患者の抑制をとく。患者に危険な行動がみられた場合は，その行動を制止し，それをしてはいけない理由を伝える。患者は抑制されている部位が，痛いあるいはかゆいことが多いので，その部位の周辺をさすったり，やさしくかいたりするようにする。

24時間以上継続して抑制が必要な場合は，チームミーティングで検討し，抑制の必要性や抑制の代替案を検討し，実施する。

❸ 感染予防策

感染とは● 病原微生物（病原体）が体内に侵入し，定着・増殖することを**感染**といい，感染により発熱や腫脹（しゅちょう）などの症状がみられる状態を**感染症**という。感染の成立には，①感染源，②感受性宿主（しゅくしゅ），③感染経路の3つの要素が必要であり，これらを制御することが感染予防策として重要である（◯82ページ）。

院内感染とは● 感染予防の基本的知識と方法については，本章C節「感染予防」にて詳細を述べるとして，ここでは，医療事故防止の観点から院内感染に焦点をあてて述べる。

病院は，本来，患者が治療を受け，療養する場所であり，安全・安楽な療養環境が保障されるべき場所である。しかし，患者または医療者が病原体に感染し，それが別の患者や医療者へ感染するというように感染が拡大することがある。このように病院内で感染症が広がることを**院内感染**という[1]。とくに免疫機能が低下している患者では，病原体のみならず，通常は感染源に

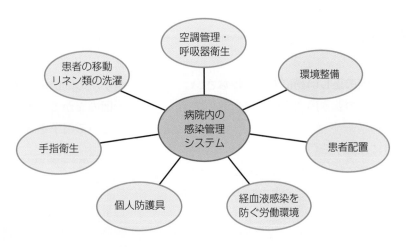

◯ 図2-5　病院内の感染管理システム

1）2020年3月に感染爆発をおこした新型コロナウイルス感染症では，院内でクラスター（感染者集団）が多発した。これも院内感染の一つである。

なりにくい微生物によっても院内感染を引きおこすことがある。

院内感染対策●　院内感染対策としては，患者や医療者が感染症を発症してから隔離^{かくり}するような方法では感染の拡大を防ぐことができない。そのため，事前に予防策を講じることが必要である。

　わが国では，2007年からすべての医療機関で，組織的に感染予防対策に取り組むことが義務づけられており，病院単位で感染管理システムを構築して予防に取り組んでいる（●図2-5）。感染経路を遮断^{しゃだん}するための対策については，本章C節「感染予防」にて述べる（●82ページ）。

●参考文献
1）ヴァージニア・ヘンダーソン著，湯槇ます・小玉香津子訳：看護の基本となるもの，新装版．日本看護協会出版会，2006.
2）小林美亜編：医療安全——患者の安全を守る看護の基礎力・臨床力．学研メディカル秀潤社，2013.
3）櫻井茂男編：たのしく学べる最新発達心理学．図書文化社，2010.
4）寺田喜平監修，中西啓子・津島ひろ江編：看護学生・新人のための看護ケアに活かす感染対策入門ガイド．診断と治療社，2013.
5）小藤幹恵編：急性期病院で実現した身体抑制のない看護．日本看護協会出版会，2018.

まとめ

- 安全とは，人間として生きるうえで身体的にも心理・社会的にも心配がなく，危険がない状態をいう。
- 安楽とは，身体的または心理・社会的に苦痛がなく，心安らかな状態をいう。
- 患者誤認防止対策には，フルネーム確認，ダブルチェック，リストバンドや診察券によるID確認のほか，同姓同名の患者がいる場合の注意喚起なども必要である。

復習問題

❶ 〔　〕内の正しい語に丸をつけなさい。

①マズローの基本的欲求の階層において，安全のニードは下から〔1・2・3・4・5〕番目に位置する。

②医療事故にはいたらなかったが，ヒヤリとしたり，ハッとしたりという経験や事例をヒヤリ・ハットといい，〔インシデント・アクシデント〕ともよばれる。

③事故にいたってしまった場合を〔インシデント・アクシデント〕という。

❷ 次の問いに答えなさい。

①図のなかで，患者の安全・安楽を阻害している因子を3つあげなさい。

答〔　　　　　　　　　　　　　　　〕

B 姿勢と動作

　私たちは、日常生活を営むうえで、さまざまな姿勢をとり、調整しながら、食事や排泄などの活動(動作)を行っている。それは自然なことであり、睡眠中でさえ、無意識に1時間に1回以上は寝返りを打って姿勢をかえると言われている。もし、自力で動くことができなくなったとしたらどうであろうか。試しに、まったく動かずに、同じ姿勢で2時間寝てみよう。手足はしびれ、背中や腰が痛くなり、イライラ感や不安が生じてくるはずである。

　患者の多くは、加齢による身体機能の低下や、健康障害による運動制限などにより、姿勢や動作を保持・調整する機能が低下していく。そのため、看護師は、人にとってよい姿勢と動作を理解し、患者の姿勢を活動目的に応じて変更する、保持するなどの援助を行うことが大切である。

1 姿勢

よい姿勢　姿勢とは、からだの構えのことである。よい姿勢とは、これから行おうとする活動に対する構えができており、しかもバランスがとれて安定している状態である。よい姿勢であれば、ある程度の時間にわたり、同一の姿勢でいても疲労は少ない。

基本的欲求としての姿勢調整　人間は、生まれてすぐには寝返りを打つこともできないが、成長・発達とともに、寝返りを打つ、座る、立つなどと、自分で姿勢をかえられるようになる。したがって、姿勢をかえることや保持することは、人間の基本的欲求の一つであるといえよう。

　人間はつねに同一の姿勢でいると、重力の影響を受けやすくなり、循環機能をはじめとするすべての身体機能が低下する。そして全身の筋肉は、負荷がかからないために萎縮してしまい、さらに動かせなくなってしまう。このようなことにならないために、適切な時間・方法で援助を行う必要がある。

2 体位と肢位

　姿勢は、体位と肢位(構え)に分類される。

■体位

　体位は、重力方向(地面)に対する身体の向きを示し、仰臥位や立位などとあらわされる。これらは、臥位・座位・立位に大きく区分することができ、そこからさらに細かい種類と特徴を有する。人が日常生活においてよくとる体位の種類と特徴を ⟳ **表 2-5** に示す。

⮕ 表2-5　体位の種類と特徴

体位の種類			特徴
臥位	仰臥位 (ぎょうがい)		● 背部を下にしたあおむけの姿勢。 ● 支持基底面(⮕76ページ)が広く，安定性が高い。 ● エネルギーの消費が最も少ない。 ● 長時間では骨突出部位に褥瘡(じょくそう)ができやすい。
	側臥位 (そくがい)		● 身体の左右どちらかを下にして横になった姿勢。 ● 仰臥位よりも支持基底面が狭く不安定である。 ● 下側は圧迫されるため，循環障害に注意する。 ● 骨突出部位である腸骨部や大転子部，膝関節部に褥瘡ができやすい。
	30度側臥位		● 背部や殿部に枕などを使用し，ベッドに対して身体を30度に傾けた姿勢。 ● 側臥位よりも支持基底面が広い。 ● 腸骨部や大転子部への圧迫が少ないため，褥瘡予防の目的で行われる。
	腹臥位 (ふくがい)		● 顔を横に向け腹部を下にしたうつぶせの姿勢。 ● 排痰(はいたん)を促進する。 ● 胸腹部が圧迫されて，呼吸がやや苦しくなる。
座位 (ざい)	椅座位 (いざい)		● 椅子に座った姿勢。 ● 足底を床面につける。 ● 股関節・膝関節・足関節がそれぞれ90度になると安定する。 ● 立位よりも支持基底面が広く，重心が低いので安定する。
	長座位 (ちょうざい)		● 下肢をのばした座位。 ● 上半身が不安定になりやすい。 ● 殿部に荷重がかかる。
	半座位 (はんざい) (ファウラー位)		● ギャッチベッドなどで上半身を45〜60度起こした姿勢。膝をやや屈曲させるとより安楽になる。 ● 食事や面談などの活動時，または呼吸が苦しいときにとる。食事では誤嚥(ごえん)をおこしにくい。 ● 20〜30度程度起こす場合をセミファウラー位という。摂食・嚥下(えんげ)機能の初期評価時などにとる。
	端座位 (たんざい)		● ベッドの端に座り，下肢をベッドサイドに下ろした姿勢。 ● 足底を床面につける。 ● 上肢でベッド柵やベッド面を支えると安定する。
立位 (りつい)			● 立っている姿勢。 ● 支持基底面が足底のみで小さく，重心が高いため不安定になりやすい。 ● 座位や臥位よりもエネルギー消費が大きい。

■肢位

肢位（構え）は，頭部，胸部と腹部からなる体幹，手足（四肢）の身体各部位の相対的な位置関係をあらわす。たとえば，頭部前屈位というように具体的な身体部位の位置関係を表現する。

基本肢位と良肢位　姿勢・肢位のうち，人体の四肢の関節をそのまま固定したとしても苦痛がなく，日常生活を送るうえでも支障が少ないものを**良肢位**という。自然な立位での各関節の角度を 0 度とする状態を**基本肢位**といい，それに対して良肢位は，各関節部分によって関節が可動する範囲（**関節可動域**）における中間位，あるいはやや屈曲位の状態である（●図 2-6）。良肢位は，整形外科領域で考案された肢位であるが，意識障害のある患者の姿勢保持にも用いられることが多い。

良肢位の効果　たとえば，上腕を骨折したとき，そのまま上肢をのばした状態（基本肢位）でギプス固定をした場合，重力によって末梢に血液が貯留し，浮腫をおこして創部の回復が遅れることになる。上肢を周囲の物にぶつけてけがをすることもあるだろう。

良肢位をとると，重力による影響が小さくすみ，末梢循環障害が緩和され，手を体幹の中央に近づけて保護することができる。したがって，みずから動くことができない，または動かしてはいけない患者では，良肢位をとる援助が必要である。リハビリテーションを開始するときも，良肢位からは屈曲や伸展運動が始めやすく，早期に関節可動域を拡大することが可能になる。

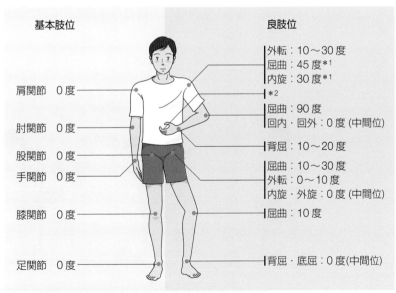

＊1 目安は顔に手が届く角度。
＊2 指関節は軽く曲げて，物をつかむような肢位にする。

● 図 2-6　基本肢位と良肢位

3 動作

　　動作とは，身体の動き（運動）によって具体的に行われる作業や仕事のまとまりを意味する。人は，生命を維持し，生活することを目的として，食べる，眠る，排泄するなどの基本的欲求を満たすためのさまざまな動作を行う。たとえば，食事を摂取するための一連の動きを食事動作といい，左右の手足を交互に動かして目的の場所へ移動する作業を歩行動作という。ここでは，いかなる活動においても共通して必要となる最小単位としての動作について述べる[1]。

よい動作とは●　　よい動作とは，運動器（骨・筋肉・関節）と神経とがうまく連動し，作業や仕事の目的を効率よく達成できる状態である。そのような動作は，人が成長・発達する過程で，運動や生活習慣を通して体得しており，幼児期後半には自立し，自然にできるようになっている。たとえば，椅子から立ち上がるときは，後方に足を引いて，上体を前傾するという動作が行われる（●図2-7）。このような動きを意識的に行うことでよい動作が身につく。

よい動作のため●
の援助　　しかし，みずから動くことができない，あるいは動作がうまくできない場合には，障害の程度に応じて，他者が動作の援助を行う必要がある。動作の援助においては，患者が自力で動けない状態であっても，自分で動作を行えるようになることを目ざしながら，できない動きを補うように援助することが大切である。また，一部できない動作は，訓練・練習の視点を含めて援助を行う。

　　よい動作の援助を行うために，看護師は，人体の自然な動きと，一つひとつの動作に関連する運動器の構造や機能について，知識を十分に身につけている必要がある。

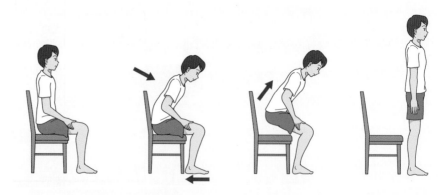

● 図2-7　人の立ち上がり動作

1）日常生活活動（日常生活動作）については『新看護学7　基礎看護技術Ⅱ』第1章C節「活動の援助」（24ページ）にて述べる。

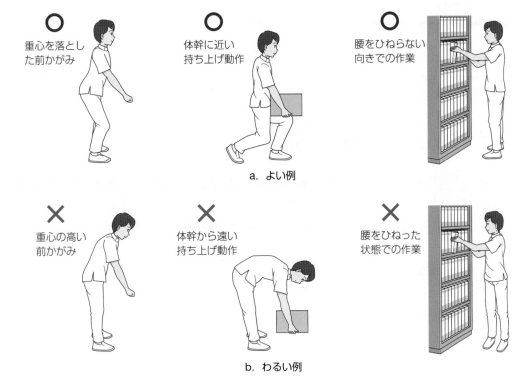

重心を落とした前かがみ

体幹に近い持ち上げ動作

腰をひねらない向きでの作業

a. よい例

重心の高い前かがみ

体幹から遠い持ち上げ動作

腰をひねった状態での作業

b. わるい例

◯ 図2-8　看護師の姿勢・動作のよい例，わるい例

看護師の●
とるべき姿勢

　また，看護師自身がよい姿勢，よい動作で援助を行うことも忘れてはならない。看護師は，ベッド上で臥床する患者のケアを行うために，前かがみや中腰[1]などをとることが多いが，このような姿勢は腰痛を引きおこしやすく，避けるべきである（◯図2-8）。

　そのためには，次に述べるボディメカニクスを理解することが大切である。すべての援助において，つねに患者と看護師がよい姿勢・動作であることを意識しながら，学習してほしい。

4 ボディメカニクスの原則と実際

1 ボディメカニクスの定義と意義

　ボディメカニクス body mechanics（身体力学）とは，ヒトの骨格や筋肉，神経，内臓などの特性をふまえて，それらの力学的相互関係を活用した技術のことである。ボディメカニクスにはいくつかの原則があり，これに従うことで安全で正しい姿勢・動作や，骨格や筋肉を効果的に活用した効率のよい動作をとることができる。

1) 腰を半ば上げて立ちかかった姿勢のこと。

ボディメカニ●
クスの意義

看護におけるボディメカニクスは，看護師の労働上の身体的負荷，とくに腰痛の予防を目的として研究され，発展してきたが，その原則は患者の動きにも適用できる。安全で正しい姿勢・動作へと調整・保持するボディメカニクスの活用は，患者の安全・安楽はもちろんのこと，生活行動の拡大・自立へと導くものでもある。したがって，どのような活動・場面においても，ボディメカニクスの活用を心がける必要がある。

② ボディメカニクスにかかわる基礎知識

ボディメカニクスの原則には，形態機能学・運動学・物理学・人間工学など，幅広い知識が関連している。それらを理解することで，看護師は，援助の場面でボディメカニクスを意識的に活用することができる。

■姿勢や動作の安定性

安定性とは，物体に力や変化を加えたとき，平衡^{へいこう}状態を保とうとする性質をいう。外から力が加えられたとき，もとの状態からの変化が少ない状態にとどまるものは安定性が高いといえる。ただし，大きな力が加わると平衡状態は破られ，不安定になる。

人の姿勢や動作で考えると，安定性が保たれているほうが安全・安楽である。そのため，身体の安定性にかかわる要因を理解し，調整をはかることが求められる。

姿勢や動作の安定にかかわる要因として，地球上では重力の影響が最も大きい。運動と重力には，重心，支持基底面，摩擦力，物体の質量などが関連し，◯表2-6のような法則がある。

重心●　物体には，その点を支えると全体の重さをバランスよく支えることのできる点があり，これを**重心**という（◯図2-9-b）。重心は，その物体にはたらく重力の中心となる点ということができる。人体の立位姿勢での重心は，骨盤に囲まれて，仙骨のやや前方に位置すると考えられる。

支持基底面●　物体を支える基礎となる面を**支持基底面**という。支持基底面は，足底などの床との接触面をすべて囲ってつくられる面のことをさす（◯図2-9-a）。一般に，一つひとつの接触面が大きいほど，また2点よりも3点で支えたほうが，支持基底面は広い。

重心線●　重心から床面に垂直に下ろした線を**重心線**という（◯図2-9-b）。

◯表2-6　姿勢・動作の安定性にかかわるおもな法則

- ●重心の位置が低いほうが安定性がよい。
- ●支持基底面の面積が広いほうが安定性がよい。
- ●重心線が支持基底面の中心に位置するほうが安定性がよい。
- ●接触面との間に生じる摩擦力が大きいほど安定性がよい。

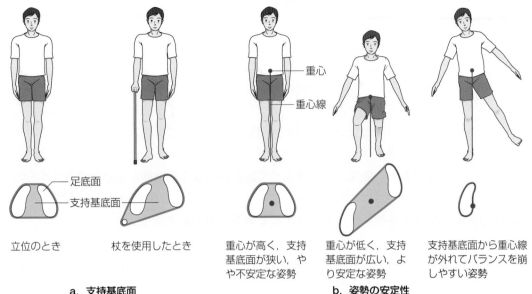

a. 支持基底面

立位のとき
足底面
支持基底面

杖を使用したとき

重心が高く，支持基底面が狭い，やや不安定な姿勢
重心
重心線

重心が低く，支持基底面が広い，より安定な姿勢

支持基底面から重心線が外れてバランスを崩しやすい姿勢

b. 姿勢の安定性

◎ 図 2-9 支持基底面と姿勢の安定性

重心線と支持基底面の関係　重心線と床面との交点が支持基底面の中心に近いほど安定性がよく，中心から離れるほど不安定になる。交点が支持基底面の外に出ると，物体は転倒しはじめる。

　重心の位置は低い（地面に近い）ほうが安定性がよい（◎ 図 2-9-b）。このことから，仰臥位は最も安定した姿勢である（◎ 72 ページ，表 2-5）。また，看護師は，作業中に膝を曲げて腰を落とした姿勢をとることで，重心の位置が低くなり，安定性を確保することができる。

　立位では，両足をそろえるよりも足を開いたほうが支持基底面は広くなり，安定性がよくなる。また，杖をつくと支持基底面の面積が大きくなり，さらに安定性は増す（◎ 図 2-9-a）。

摩擦力　物体と物体が触れてこすれあうとき，接触面に生じる力を**摩擦力**という。床との摩擦力が 0 に近ければ，物体は小さな力で滑るように動く。摩擦力は物体の質量や接触面の状態によって変化する。物体の重さが 2 倍になれば，横に動かすために 2 倍の力が必要になる。また，接触面がつるつるとなめらかなときよりも，ざらざらしているときのほうが必要な力は大きくなる。

　安定性を得るためには摩擦力が大きいほうがよく，動かそうとするならば摩擦力は小さいほうがよい。したがって，患者や看護師の安定した姿勢・動作のためには，床面やリネン類，靴，スライディングシートなどの移動用具の材質を考慮する必要がある。

　また，ぬれていると摩擦力が小さくなるので，もしも床などに水をこぼした場合は，すみやかにふきとり，乾燥させておくことが必要である。

■看護に役だつ物理法則

トルクの原理● 　物体を回転させるときに役だつ物理法則として，固定された回転軸があるとき，回転軸と力を加える点までの距離が長いほど，回転を生じる力の能率が大きくなるという**トルクの原理**がある。これは，物体を回転させるときには，大きな弧を描いて回転軸から離れた点に力を加えたほうが小さな力ですむという法則である。ドアノブや蛇口の持ち手が太かったり，レバーがつけられているのはこの原理を利用しているためである。

　これを人体の関節や部位にあてはめて考えると，仰臥位から側臥位に動かすときは，膝をしっかり立てて回転軸となる股関節からの距離を長くしたほうが，小さな力で向きをかえることができる（⊃図2-10-a）。一方で，膝を立てずに体位変換しようとすると大きな力が必要になる。

　応用として，肩関節や肘関節を回転軸に見たてて，手で物体を持ち上げることを考えてみよう（⊃図2-10-b）。回転軸と手との距離が遠いほど，物体による回転を生じる力が大きくなるため，重く感じられる。物体を持つ手の位置を自分の体幹に近づけると，小さな力で持ち上げることが可能になる。

てこの原理● 　小・中学校で学んだ**てこの原理**は，トルクの原理の応用である。支点・力点（力を加える点）・作用点（力がはたらく点）の位置関係と距離から，小さな力を大きな力にかえることや，短い移動距離を長い移動距離にかえることができる（⊃図2-11）。

　人間の骨格をみると，足関節や肘関節など，てこの原理によって可動する構造がいくつもみられる。身近なところでは，車椅子の前輪を上げるために用いるティッピングレバーや，ガーゼ交換時などに用いる鑷子（ピンセット）もてこの原理を利用している。てこの原理を活用し，効率的な動きをもたらす援助は，患者の人間としての自然な動きをたすけることにつながる。また，

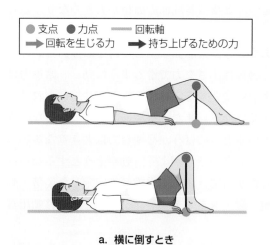

a. 横に倒すとき

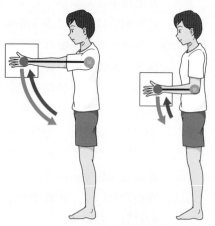

b. 持ち上げるとき

⊃ 図2-10　トルクの原理の活用

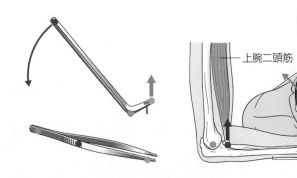

●支点 ●力点 ●作用点

上腕二頭筋

前腕

➡ 図 2-11　てこの原理の活用

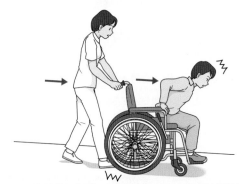

患者の乗った車椅子に急ブレーキをかけると，患者は慣性によって
前へ投げ出されてしまう。

➡ 図 2-12　下り坂で車椅子に急ブレーキをかけたときにはたらく慣性

看護師の動作としては，肘を支点にして患者の身体を支持することで，力を
効率的にいかすことができる。

慣性の法則●　**慣性の法則**とは，静止している物体はいつまでも静止し，動いている物体
はいつまでも動いている状態を保とうとする性質をいう。たとえば，車椅子
での移送において，ある程度スピードがあるときに，急ブレーキをかけたり，
急に手を離したりすると，慣性の法則にしたがって，患者が投げ出されたり，
車椅子が勝手に前に進んでしまうことになり危険である(➡図 2-12)。

■作業域と作業姿勢

作業域●　人間が作業を行うために，手をのばして届く範囲を**作業域**という。作業域
には，肘関節を支点として手を動かして届く範囲である**正常作業域**と，肩関
節を支点として手を動かして届く範囲である**最大作業域**がある(➡図 2-13)。

正常作業域と●　正常作業域は，支点(肘関節)から作用点(指先)までの距離が短いため，物
　最大作業域　品を持ち上げていても疲れにくい。目がゆき届く範囲でもあるため，細かな
作業に適している。それに対して，最大作業域は，支点(肩)から作用点(指

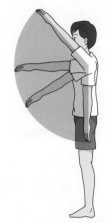

a. 正常作業域　　　　　　　　　　b. 最大作業域

⮕ 図2-13　正常作業域と最大作業域

⮕ 表2-7　よい姿勢・動作のためのボディメカニクスガイド10か条

① 上肢と下肢の最も大きな筋群を用いる。
② 対象を持ち上げるよりも，押す・引く・回転させる。
③ 対象を動かすときには「てこの原理」を用い，筋力よりも体重を使う。
④ 自分の体重の25％をこえる物を人力では持ち上げない。
⑤ 対象を持ち上げるときは，重心を低くするために，膝を曲げて腰背部をのばした姿勢を保ち，自分の重心位置に近づける。
⑥ 両足を肩幅程度に開いて，支持基底面を広くする。
⑦ 作業中は腰部をひねらない。
⑧ 安定性の確保のためには摩擦力を大きくし，スムーズな移動のためには摩擦力を小さくする。
⑨ 適宜，休息をとる。
⑩ 積極的に用具・支援機器を使用する。

先）までの距離が長いため，広い範囲で効率よく作業することができる。

　なお，作業を安全に行うためには，作業域に作業のための空間や物品だけがあるようにし，それ以外の物は置かないようにすることが大切である。

③ よい姿勢・動作のためのボディメカニクス

　ひとくちにボディメカニクスといっても，その技術は適用される状況や場面によってもかわってくる。また，ボディメカニクスの技術は，経験を積むことで体得されるものではあるが，経験を積む前の段階では，看護師が患者に対して，あるいは自分に対して，意識的にボディメカニクスを活用していかないとよい姿勢・動作にはならない。そこで，効率のよい身体の動かし方が身につくまでは，⮕ 表2-7に示したよい姿勢・動作のためのボディメカニクスガイド10か条を意識するとよいだろう。

まとめ

- 体位は，臥位，座位，立位に区分でき，臥位は仰臥位，側臥位，30度側臥位，腹臥位などに，座位は椅座位，長座位，半座位（ファウラー位），端座位などに分けられる。
- 肢位は，頭部，胸部と腹部からなる体幹，手足（四肢）の身体各部位の相対的な位置関係をあらわす。
- 姿勢や動作において，重心を低く，支持基底面を広く保ち，重心線と床面との交点が支持基底面の中心に近いほど安定性が高まる。
- 看護師は，人にとってよい姿勢・よい動作を理解し，患者の活動目的に応じた援助をするとともに，看護師自身がよい姿勢・よい動作で援助を行うことも忘れてはならない。

復習問題

❶ 次の問いに答えなさい。

①次の図の体位の名称を答えなさい。

a   b

答〔a.　　　　b.　　　　〕

②次の図のうち，よい姿勢はどちらか。

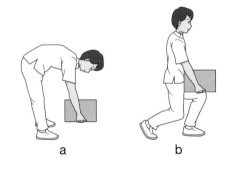

a   b

答〔　　　　〕

③次の図のうち，より安定するのはどちらか。

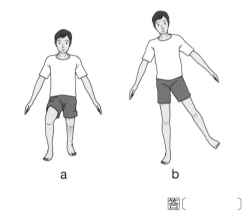

a   b

答〔　　　　〕

❷ 〔　〕内の正しい語に丸をつけなさい。

①身体を安定させるには，重心の位置は〔高い・低い〕ほうがよい。また，支持基底面の面積が〔広い・せまい〕ほうがよい。

②患者を仰臥位から側臥位に動かすときは，患者の膝を〔のばす・立てる〕と小さな力で向きをかえることができる。

C 感染予防

1 感染予防とその目的

　私たちの身のまわりには，多くの微生物がつねに存在している。そのなかで，ヒトや動物に疾患を引きおこすものを**病原微生物（病原体）**といい，細菌やウイルス，真菌，寄生虫などの種類がある。

　病院には，感染症の治療で通院・入院している患者がいたり，家族や見舞いの人が病原体をもち込んだりする。そのため，病院は多くの病原体がひそんでいる場所である。しかし同時に，高齢者や乳幼児などの感染症に対する抵抗力が低い人や，疾患や治療の影響によって身体の防御機能が低下し，感染しやすい状態にある人が集まる場所でもある。

　患者にケアを直接行う機会が多い看護師は，病原体を身体に付着させたり，吸い込んだりしやすく，看護師自身に感染の危険があるほか，看護師を介して患者から別の患者へと感染を拡大させる原因となりやすい。そのため，看護師には，感染予防に対する正確な知識と技術の実施が求められる。

2 感染予防の基礎知識

1 感染と感染症

感染とは●　**感染**とは，細菌やウイルスなどの病原体がヒトなどの宿主に侵入し，増殖する状態をさす。感染の成立後は，生体防御機構によって組織に炎症性変化が生じる。

感染症●　感染によって，発熱などの臨床症状が発現した状態を**感染症**とよぶ。感染したが，症状があらわれていない宿主は**キャリア**（無症状病原体保有者，保菌者）とよばれる。

2 感染の成立と連鎖

感染の3要素●　病原体はどこでも生息・増殖できるわけではない。また，ヒトの近くに病原体が存在するだけでは感染はおこらない。感染の成立には，感染源・感受性宿主・感染経路が必要と考えられており，これを**感染の3要素**という。

　①**感染源**　病原体が生存あるいは増殖できる場所を感染源という。医療施設で感染源となりやすい場所は，患者・医療従事者・医療器具などである。

　②**感受性宿主**　感染をおこす危険性が高い生物を感受性宿主という。病原体が宿主に侵入後，感染をおこすかどうかは，宿主自身のリスク因子（内因性因子）と，宿主を取り巻くリスク因子（外因性因子）に左右される（○表2-8）。

　③**感染経路**　病原体が感染源から排出され，感受性宿主に伝播する経路を

○ 表2-8　感染のリスク因子

内因性因子	年齢(小児・高齢者)，性別，基礎疾患，免疫機能，栄養状態など
外因性因子	医療器具の使用，医療従事者の技術や感染予防策の遵守状況など

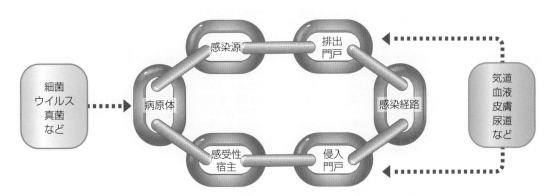

○ 図2-14　感染の鎖

感染経路という。感染経路には接触感染や飛沫感染，空気感染(飛沫核感染)などがある。どの経路で感染するかは，病原体によって異なる。

感染の鎖●　感染の3要素に加え，疾患を引きおこす要因そのものである**病原体**，病原体が排出される**排出門戸**，病原体が感受性宿主に侵入する**侵入門戸**の3要素をつなぎ合わせたものを，**感染の鎖**とよぶ(○図2-14)。この鎖のいずれかを断ち切ることで，感染を予防できると考えられている。

③ 感染経路の遮断

感染経路を遮断するための考え方や方法として，標準予防策と感染経路別予防策がある。

① 標準予防策(スタンダードプリコーション)

標準予防策(スタンダードプリコーション standard precautions)とは，米国疾病管理予防センター(CDC)が1996年に発表した病院感染対策であり，現在，世界中の医療機関で感染対策の基準として普及している。

標準予防策は，「汗を除くすべての湿性生体物質(血液，体液，分泌物，排泄物，創のある皮膚・粘膜)は感染性の病原体を含む可能性がある」という原則に基づき，医療が提供されるあらゆる環境において，感染症の有無にかかわらず，すべての患者に必要とされる。具体的には，手指衛生や適切な個人防護具(○93ページ)を用いることなどが含まれている(○表2-9)。

標準予防策には，医療従事者への感染を防ぐだけでなく，医療従事者の手や医療機器を介して，病原体が患者へ伝播する**交差感染**を防ぐ目的もある。

○表 2-9　標準予防策

標準予防策の要素	勧告・原則		留意点
手指衛生	• ベッド柵やオーバーベッドテーブルなどの，患者周辺の環境表面には不必要に手を触れない。	石けんと流水による手洗い	• 目に見える手指汚染があるときに行う。 • 芽胞と接触した可能性があるときに行う。
		擦式消毒薬を用いた手指消毒	• 目に見える汚染がないときに優先して行う。
個人防護具（PPE）	• 血液・体液や粘膜，傷のある皮膚，排泄物などの湿性生体物質に直接接触，または飛散の可能性があるときに使用する。 • 汚染している，またはその可能性がある医療器具や患者周辺環境に接触するときに使用する。 • PPE 脱衣時に，白衣や皮膚が汚染しないように留意する。 • PPE は患者の病室から出る前に脱ぎ，廃棄してから退室する。	手袋	• 密着性および耐久性のある手袋を装着する。 • 手指を汚染しないように正しい方法で手袋を外す。 • 患者ごとに交換する。 • 1 回使いきりとし，再使用のための洗浄はしない。 • 同一患者の汚染部位から清潔部位へ手指を移動する場合，手袋を交換する。
		ガウン エプロン	• 手袋と併用して使用する。 • 病室を出る前にガウンを脱ぎ，手指衛生を行う。 • 1 回使いきりとし，同一患者に繰り返し接触する場合でも，ガウンの再使用はしない。 • ガウンとエプロンは想定される汚染の程度に応じて使い分ける。 • 広範囲あるいは感染力の強い皮膚病変や，多量の体液と接触する可能性がある場合は，ガウンを装着する。
		マスク ゴーグル フェイスシールド	• ゴーグルはマスクに加えて使用する。 • 眼鏡はゴーグルの代用にはならない。 • ゴーグルとフェイスシールドは想定される汚染の程度に応じて使い分ける。 • 気管支鏡や気道内吸引など，呼吸器飛沫が発生する処置を行う際は，フェイスシールドもしくは，マスク＋ゴーグルを装着する。
呼吸器衛生・咳エチケット	• 医療従事者に，感染源制御対策の重要性を教育する。 • 呼吸器症状がある患者と付き添い者に，呼吸器分泌物の拡散防止のために適用される（とくに，インフルエンザなどのウイルス性呼吸器感染症流行時）。		• 病院の入口に，呼吸器感染症制御対策のポスターを掲示する。 • 咳症状のある人にはマスクを装着させる。 • 咳をするときには，ティッシュを用い，鼻と口を手でおおう。 • 呼吸器分泌物に接触したあとは手指衛生を実施する。 • 待合室では呼吸器感染症の患者と 1 m 以上離れる。
患者の収容	• 患者の病室を決定する際，感染性病原体の伝播の可能性を考慮し，他者への伝播の可能性がある場合は，できるだけ個室とする。		
患者ケア用の医療機器	• 患者に使用して汚染した医療器具は，消毒や滅菌を行う前に洗浄する。 • 汚染した医療器具を取り扱う際には PPE を装着する。		
環境整備	• 患者周囲の環境表面や，患者ケア環境における高頻度接触表面（ドアノブやトイレなど）は，病原微生物に汚染されている可能性が高いため，頻回に消毒する。 • 小児病床では，洗浄・消毒が可能な玩具を選び，定期的に洗浄・消毒する。		
リネンの取り扱い	• 空中・環境・ヒトへの汚染を避けるため，使用済みのリネンはできるだけ振り動かさずに取り扱う。		
安全な注射手技	• 滅菌された注射器具は無菌操作で取り扱う。 • 注射針・注射器は単回使用とし，複数の患者に使いまわさない。 • 輸液セットや輸液ボトルは 1 人の患者のみに用い，使用後は適切に廃棄する。 • バイアルやアンプルはできるだけ単回量製剤を用いる。		
腰椎穿刺時の感染制御	• 腰椎穿刺時にはサージカルマスクを装着し，医療従事者の口腔咽頭飛沫による患者への感染を防ぐ。		

② 感染経路別予防策

感染経路別予防策は，標準予防策を実施しても感染経路を完全に遮断できない場合に，標準予防策に加えて用いるものである（⊃ 表 2-10）。感染経路別

⊃ 表 2-10　感染経路別予防策

感染経路		接触感染	飛沫感染	空気感染（飛沫核感染）
特徴		• 病原巣であるヒトに直接触れることで伝播がおこる直接接触感染と，病原体で汚染されたヒトや物（医療従事者の手指や医療機器など）を介して伝播する間接接触感染がある。 • 最も頻度の高い感染経路である。	• 感染者との会話や咳，くしゃみの際に，病原体を含む呼吸器飛沫が排出され，近くにいるヒトの眼や鼻，気道粘膜に直接付着し，伝播する。 • 飛沫の直径は 5 μm より大きく，浮遊可能距離は 1 m 以下（長くても 2〜3 m）である。	• 感染者から排出された病原体が，非常に小さな粒子（飛沫核）となって，長時間・長距離空気中を浮遊し，吸入することで伝播する。 • 飛沫核の直径は 5 μm 以下で，患者から遠く離れていても感染が生じる。
おもな病原体		ノロウイルス，ロタウイルス，メチシリン耐性黄色ブドウ球菌（MRSA），クロストリジウム属，緑膿菌，疥癬虫，腸管出血性大腸菌，出血熱の原因ウイルス	インフルエンザウイルス，風疹ウイルス，流行性耳下腺炎ウイルス，百日咳菌，A 群 β 溶血性レンサ球菌，髄膜炎菌，肺炎マイコプラズマ	結核菌，麻疹ウイルス，水痘-帯状疱疹ウイルス
予防策	患者配置	• 個室が望ましい。 • 個室に限りがある場合は，多量の滲出液や便失禁などの伝播を助長する病状にある患者を優先する。 • ドアは閉めなくてもよい。 • 大部屋の場合は隣のベッドとの間隔を 1 m 以上空け，カーテンを閉める。	• 個室が望ましい。 • 個室に限りがある場合は，咳や喀痰が多い患者を優先する。 • ドアは閉めなくてもよい。 • 大部屋の場合は隣のベッドとの間隔を 1 m 以上空け，カーテンを閉める。	• 個室で，陰圧に空調管理された空気感染隔離室が望ましい。 • 1 時間に 6 回または 12 回の換気を行う。 • 病室のドアは閉めておく。
	個人防護具（PPE）	• 患者の皮膚や患者周囲の環境表面に触れる際は，つねに手袋と袖つきガウンを着用する。 • 入室時にガウンを装着する。病室から出る前にガウンを脱いで廃棄し，手指衛生を行う。	• 患者の 1〜2 m 以内に近づく場合，医療従事者は入室時にサージカルマスクを着用する。	• 結核患者に対しては，医療従事者は N95 マスクを装着する（⊃ 94 ページ，図 2-20）。
	物品	• 標準予防策に従って取り扱う。 • 患者に触れる器具は，できるだけその患者専用にする。 • ほかの患者に使用する際には，使用前に洗浄・消毒する。		
	環境	• 少なくとも 1 日 1 回は洗浄・消毒を行う。とくに，高頻度接触表面（ベッド柵やオーバーベッドテーブル，ドアノブなど）は，頻繁に行う。		
	移送	• 感染性の皮膚病変がある場合には，感染部位を確実にカバーする。 • 患者ケアに続けて移送する場合，新しい PPE を着用してから移送する。	• 患者はサージカルマスクを着用し，呼吸器衛生・咳エチケットを遵守する。 • 医療従事者のマスク着用は必ずしも必須ではない。	• 患者はサージカルマスクを着用し，呼吸器衛生・咳エチケットを遵守する。 • 感染性の皮膚病変がある場合には，感染部位を確実にカバーする。 • 医療従事者のマスク着用は必ずしも必須ではない。

（米国疾病管理予防センター著，満田年宏訳著：隔離予防策のための CDC ガイドライン．ヴァンメディカル，2009．を参考に筆者作成）

予防策には，おもに接触予防策・飛沫予防策・空気予防策の3つがあり，病原体の伝播の特性によって適切な予防策を選択する。

4 病原体の除去

感染予防のうち，感染源や媒介物に存在する病原体を除去または死滅させる方法として，洗浄・消毒・滅菌がある。

1 感染予防の基本的手段

●洗浄

洗浄とは，床・壁などの環境表面や医療器具，皮膚などに付着した目に見えるよごれを物理的に除去することである。よごれはそれ自体が人体に有害であったり，病原体が繁殖する温床になったりする。器具の表面によごれや有機物が付着したままの状態で消毒や滅菌を行うと，処理の有効性が低下するため，消毒や滅菌が必要な器具は必ず事前に洗浄する。

●消毒

消毒とは，医療器具・環境表面・皮膚などから，目的とする微生物を殺滅することである。消毒の方法は，①消毒薬を使用する化学的消毒法と，②消毒薬を使用せずに微生物を殺滅する物理的消毒法に大別される（◐図2-15）。

●滅菌

滅菌とは，芽胞（◐NOTE）を含む，すべての微生物を殺滅すること（無菌状

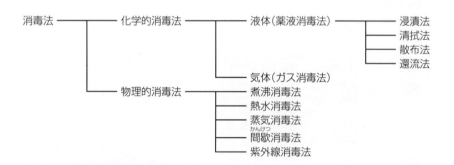

◐図2-15　消毒の種類と方法

Note
芽胞

温度や湿度などが細菌の増殖しにくい環境になったとき，細菌が子孫を残すために菌体内に形成する構造物のことを**芽胞**という。セレウス菌や炭疽菌などのバシラス（バチルス）属，破傷風菌やボツリヌス菌などのクロストリジウム属の細菌が芽胞を産生する能力をもつ。芽胞は熱や化学物質への耐久性が高く，高温や乾燥状態，消毒薬のある環境下でも長期間生存する。

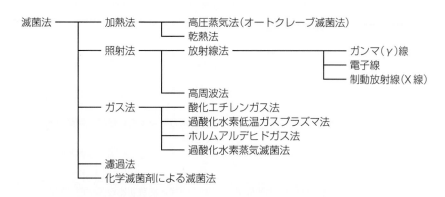

◯ 図 2-16　滅菌の種類と方法

態)を目的とした処理工程のことである。滅菌の方法は 5 つに大別される(◯
図 2-16)。

　ヒトの身体のうち，外界にさらされている皮膚，毛髪，爪，歯，舌などは，
つねに多くの微生物と接触しているため，無菌状態ではない。しかし，外界
と接触していない組織(血管，血液，臓器，骨など)は通常，無菌状態である
と考えられている。手術や外科的処置などによって，患者の体内組織に接触
する医療器材は，微生物に汚染されていると疾病を伝播させる危険性がある。
そのため，滅菌されたものを使用する必要がある。

❷ 消毒・滅菌法の選択

　患者に使用した医療器具や，患者周辺のベッド柵やリネンなどといった物
品には，①洗浄のみ，②洗浄と消毒，③洗浄と滅菌のいずれかの方法が選択
される。CDC は，使用する際の感染リスクに基づいて医療器具を分類し，
それぞれに適切な処理方法を示している(◯ 表 2-11)。

消毒法の選択●　物理的消毒法は人体毒性がないため，耐熱・耐湿性のある器具は可能な限
り物理的消毒法を選択する。

　また，消毒薬は，その種類ごとに殺滅できる微生物が決まっている。
CDC は，処理可能な微生物の種類によって消毒薬を 3 つに分類している(◯
表 2-12)。効果を十分に発揮するには，対象となる器具に適切な消毒薬を選
択し，適切な濃度・温度・接触時間などの用法を理解して使用しなければな
らない。どの方法を選択するかは，器具の使用目的や用途，材質，標的とな
る微生物の種類などによる(◯ 表 2-13)。

滅菌法の選択●　高圧蒸気滅菌器(オートクレーブ)を用いる加熱法(高圧蒸気法)は，無毒性
で運転コストが安価であり，かつ滅菌効果が高いことから，高温・高湿に耐
えられる器材の滅菌の際には第一選択となる。

◯ 表2-11　感染リスクに基づいた医療器具の分類

感染リスク分類	対象となる器具	器具の例	処理方法
クリティカル器具	無菌の組織や血管系に挿入する器具	手術用器具 血管カテーテル 注射針 シリンジ	・滅菌
セミクリティカル器具	粘膜や傷のある皮膚に接触する器具	麻酔機器 人工呼吸器回路 内視鏡 体温計	・高水準消毒 ・中水準消毒（一部）
ノンクリティカル器具	無傷の皮膚と接触するが，粘膜とは接触しない患者ケア器具や環境表面	聴診器 便器・尿器 血圧計 モニター類 リネン 患者周囲環境 床	・中水準消毒（一部） ・低水準消毒（一部） ・洗浄

◯ 表2-12　消毒水準別にみた消毒薬の分類

消毒水準	定義	消毒薬	
		分類	一般名
高水準	大量の芽胞を除いて，すべての微生物を殺滅する。	酸化剤	過酢酸
		アルデヒド系	グルタラール フタラール
中水準	芽胞以外のすべての微生物を殺滅するが，なかには殺芽胞性を示すものがある。	塩素系	次亜塩素酸ナトリウム
		ヨウ素系	ポビドンヨード
		アルコール系	エタノール 70% イソプロパノール 消毒用エタノール
		フェノール系	クレゾール石けん
低水準	結核菌などの抵抗性を有する菌および消毒薬に耐性を有する菌以外の微生物を殺滅する。	ビグアナイド系	クロルヘキシジン
		第四級アンモニウム塩	ベンザルコニウム塩化物 ベンゼトニウム塩化物
		両性界面活性剤	アルキルジアミノエチルグリシン塩酸塩

滅菌再使用と●　従来，病院内で使用した医療器具は，院内の中央滅菌材料室という部門で
使い捨て製品　消毒・滅菌の処理を行い，再使用されていた。現在でもこのシステムは一部
活用されているものの，多くは院外の業者に一括委託をして処理を行い，病
棟内や病院内で処理をすることは少なくなってきている。また，1回使いき
りで破棄するディスポーザブル製品も，用途に合わせてさまざまな種類のも

◯ 表2-13　使用対象別消毒薬一覧

使用対象		消毒薬		使用濃度	留意点など
		一般名	おもな商品名		
生体	創傷部位	ポビドンヨード	イソジン®	原液（10%）	
		クロルヘキシジン	ヒビテン® ヘキザック®	0.05%	• 膀胱，腟，耳には禁忌。
	手術野の皮膚	ポビドンヨード	イソジン®	原液	
		0.5%クロルヘキシジン含有消毒用エタノール	マスキン® エタノール 0.5%ヘキザック® アルコール	原液	• 眼，耳には禁忌。 • 引火性がある。
	手術野の粘膜	ポビドンヨード	イソジン®	原液	
		ベンザルコニウム塩化物	オスバン® 逆性石けん	0.01〜0.025%	
		ベンゼトニウム塩化物	ハイアミン®	0.01〜0.025%	
	手指	0.2%ベンザルコニウム塩化物含有消毒用エタノール	ウエルパス®	原液	• 引火性がある。 • 傷や手あれのある手指には用いない。
		0.2%クロルヘキシジン含有消毒用エタノール	ヒビソフト®		
	口腔	ポビドンヨード	イソジン® ガーグル	15〜30倍希釈	
		過酸化水素	オキシドール	10倍希釈	
	注射部位	エタノール	消毒用エタノール	原液	
		70%イソプロパノール	70%イソプロパノール	原液	
		クロルヘキシジン	ステリクロン® ヘキザック®	0.05〜0.5%	
器材	内視鏡	過酢酸	アセサイド®	0.3%	• 器材に付着したまま使用すると化学熱傷を生じる。 • 蒸気の曝露に注意。
		グルタラール	ステリハイド®	2.0〜3.5%	
		フタラール	ディスオーパ®	0.55%	
	食器や呼吸器関連器材	次亜塩素酸ナトリウム	ミルトン® ピューラックス®	0.01%	• 金属腐食性がある。
	一般器材	エタノール	消毒用エタノール	原液	• 引火性がある。
		ベンザルコニウム塩化物	オスバン®	0.1〜0.2%	
		アルキルジアミノエチルグリシン塩酸塩	テゴー51® エルエイジー	0.1〜0.2%	
リネン	非感染性	次亜塩素酸ナトリウム	ミルトン® ハイター®	0.02%	• 脱色作用がある。
	細菌汚染	ベンザルコニウム塩化物	オスバン® ザルコニン®	0.1%	• ウイルス汚染には効果が弱い。
		ベンゼトニウム塩化物	ハイアミン® エンゼトニン®		
環境 （床など）	血液汚染	次亜塩素酸ナトリウム	ピューラックス®	0.5〜1.0%	• 塩素ガスの曝露に注意。 • 木製材質との接触で不活化。
	ウイルス汚染	次亜塩素酸ナトリウム	ピューラックス®	0.1%	
		エタノール	消毒用エタノール	原液	• 引火性がある。 • 芽胞には無効。
	細菌汚染	ベンザルコニウム塩化物	オスバン® 逆性石けん	0.1〜0.2%	
		アルキルジアミノエチルグリシン塩酸塩	テゴー51®	0.1〜0.2%	

のが開発されてきた。感染予防や業務の効率化の観点から，これらを取り入れる医療施設が増えている。

5 手指衛生

意義と目的● 　医療行為の多くは手を介して行われる。そのため，手指を衛生的に保つことは，接触感染や交差感染の防止につながり，医療現場における病原体の伝播を減少させるための最も重要な感染予防策といえる。

手指衛生の方法● 　手指衛生の方法は大きく分けて2つある。1つは，流水と抗菌性あるいは非抗菌性石けんを用いた手洗いである。もう1つは，水を必要としない，アルコールを主成分とした速乾性擦式消毒薬を手指に塗布する方法である。

　CDC は，手指に目に見える汚染がない場合，流水と石けんによる手洗いよりも速乾性擦式消毒薬を用いた手指消毒を推奨している。これは，流水と石けんによる手洗いに対して，速乾性擦式消毒薬のほうが殺菌作用にすぐれ，皮膚の乾燥が少なく，短時間で簡便に実施できるためである。

手指衛生の● 　手指衛生とは，単に手洗いを実施することだけをさすわけではない。手指
留意点 衛生では，手指の衛生状態を保つことも重要な要素である。手指を確実に清潔にして，それを維持するためには，次のような点にも注意しなくてはならない。

(1) 手指に腕時計や指輪などの装飾品をつけていると，手洗いが不十分になるおそれがあるため，あらかじめ外しておく。

(2) マニキュアやジェルネイル，つけ爪などは，病原体が付着しやすいのでつけない。

(3) 手洗い後には，髪に触れたり，化粧を直したり，衣服に触れたりしない。

手指衛生の5つ● 　手指衛生は「一行為一手洗い」が原則である。世界保健機関(WHO)の手
のタイミング 指衛生ガイドラインでは，医療現場における手指衛生の5つのタイミングが定められている(◯図2-17)。

1 流水と石けんによる手洗い

　ここでは，流水と液体石けんによる手洗いの手順の一例を示す。手洗い時には以下に留意する。

手洗いの時間● 　短い時間の手洗いでは，洗浄が不十分になる。よごれを十分に落とすためには，全過程を 40〜60 秒かけて行う。

洗い残し● 　私たちが日常生活でなにげなく行っている手洗いの仕方では，十分に洗浄されずによごれが残ってしまう部分がある。とくに爪，指先，指の間，手背などは洗浄が不十分になりやすい(◯図2-18)。また，とくに母指の洗い残しに注意が必要である。

　手洗いでは，手指全体をまんべんなく洗浄することが重要である。そのためには洗う順序を前後したり，一度洗った部位をもう一度洗ってもよい。し

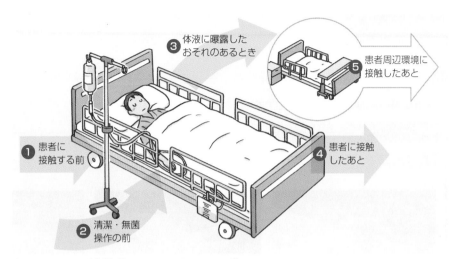

❸ 体液に曝露した
おそれのあるとき

❺ 患者周辺環境に
接触したあと

❶ 患者に
接触する前

❹ 患者に接触
したあと

❷ 清潔・無菌
操作の前

⟳ 図2-17　手指衛生の5つのタイミング

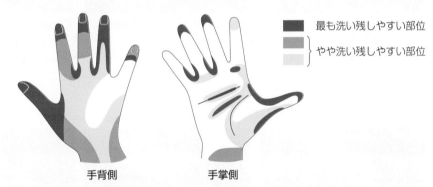

最も洗い残しやすい部位

やや洗い残しやすい部位

手背側　　　　　　　手掌側

（Taylor, L. J. : An evaluation of handwashing techniques-1. *Nursing Times*, 74 : 54, 1978 による，
一部改変）

⟳ 図2-18　洗い残しの多い部位

かし，漫然（まんぜん）と行うのではなく，決められた手洗いの手順を身につけ，確認し
ながら行うことで，洗い残しを防ぐことができる。

Ⓒolumn

手あれの問題

　頻繁に手指衛生を行う医療従事者にとって，手あれは大きな問題である。手あれで
細かな傷がついた手指の皮膚は，病原体の定着と増殖を促進し，医療従事者を介した
交差感染の原因にもなる。そのため，医療従事者は，日ごろから手あれ対策としてハ
ンドケアを行う必要がある。

　手あれ対策の具体的な方法としては，以下のようなものがあげられる。

（1）手洗い時の温水の使用を避ける：冷水よりも皮脂膜がはがれやすい。

（2）石けん成分を十分に洗い流す：石けん成分が皮膚を刺激する。

（3）低刺激性石けんや速乾性擦式消毒薬を用いる：皮膚への刺激を減らす。

（4）手指衛生後にハンドローションやクリームを塗る：保湿成分を補う。

必要物品

①ポンプ式の液体石けん，②ペーパータオル

事前準備

▶指輪や腕時計は，あらかじめ外しておく。

手順

1 流水で手を十分にぬらしてから，手のひらに適量の液体石けんをとる。

2 手のひらどうしをこすり合わせて，石けんをよく泡だてる。

留意点 十分に泡だてずに手のひらに石けんを広げただけでは，効果的な手洗いはできない。

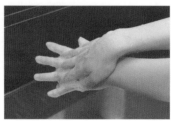

3 手のひらで，もう一方の手の甲を洗う。

4 指を組んで交差させて，指の間をこすり合わせる。

5 指先・爪を，もう一方の手のひらに立てるようにこすり合わせる。

6 母指をもう一方の手で包みこみ，くるくるとねじるように洗う。

7 手首をもう一方の手でつかみ，ねじるように洗う。

8 石けんを洗い流し，ペーパータオルでふきとる。

理由・根拠 ぬれていると，病原体が繁殖しやすいため。

9 ペーパータオルで，水道の栓を直接触れないようにしながら閉める。

理由・根拠 水道の栓は汚染されている可能性があるため。

② 速乾性擦式消毒薬による手指消毒

ここでは，速乾性擦式消毒薬による手指消毒の方法を示す。実施時には以下の留意点があげられる。

手洗いの併用● 肉眼的に手指が汚染されている場合には，流水と石けんを用いた手洗いを行う。

適量の使用● ポンプ式の消毒薬のボトルは，基本的に 1 プッシュで適量が出るようにつくられている。十分な消毒効果を得るため，消毒薬のポンプは一番下までしっかりと押し下げ，適切な量を用いる。

実施時間● 消毒薬のすり込みは，全過程を 20～30 秒かけて行う。

手順

1 消毒薬を適量，手のひらにとる。
POINT ポンプを十分に押し下げる。量が少ないと十分な消毒効果が得られない。

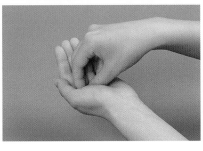

2 手のひらに，もう一方の手の指先や爪を立てるようにしてすり込む。
POINT 最初に指先の皮膚と爪の間にしっかりと薬液を浸透させる。石けんと異なり，手順の後半では爪を浸せるほど薬液が残らない可能性があるため。

3 続けて，「流水と石けんによる手洗い」と同様に，薬液を手指全体にすり込む。
留意点 洗い残しの多い部位に注意する（⟳ 91 ページ）。

4 手指を完全に乾燥させる。
理由・根拠 乾燥するまですり込むことで消毒効果が出る。

---

⑥ 個人防護具（PPE）

意義と目的● 患者の血液・体液・排泄物などの湿性生体物質や，使用済みの医療器具に存在する感染性物質から，医療従事者の皮膚や粘膜，衣類を保護するためのさまざまな防護具を**個人防護具** personal protective equipment（**PPE**）という。PPE の適切な使用により，患者や医療従事者への病原体の曝露を防止することができる。また，病原体の伝播を阻止するために，使用後は PPE を適切に廃棄することも重要である。

PPE の種類● PPE は，おもに手袋・ガウン・マスク・ゴーグルの 4 つをさす。ガウン

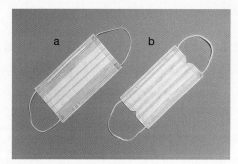

a. プリーツが1方向
折り目にほこりや菌が付着することを防ぐため，プリーツが下向きになる面が外側（皮膚に直接触れない面）になるように装着する。
b. プリーツが2方向
口にあたる部分がプリーツの頂点になるように広げる。

◯ 図 2-19　サージカルマスク

空気感染する結核菌などの感染経路を遮断するため，医療者が装着する。気密性にすぐれているという特徴がある。適切に装着するために，使用前にシールチェックやフィットテストを行う。

◯ 図 2-20　N95 マスク

はエプロン，ゴーグルはフェイスシールドの場合もあり，マスクはサージカルマスクのほか，状況に応じて N95 マスクなどが用いられる（◯ 図 2-19, 20）。
　基本の4つに加えて，キャップやシューズカバーが PPE に含まれることもある。これらは，つねにすべてを装着する必要はなく，患者ケアや処置の場面ごとに必要な防護具を適切に選択する。

❶ PPE の着用

　PPE は，ケアや処置を行う病室に入る前に着用する。ここでは基本的な PPE の着用手順を示す。

必要物品
①手指衛生のための物品，②ガウンまたはエプロン，③サージカルマスク，④ゴーグル，⑤手袋

事前準備
▶手袋やマスクが適切な大きさであることを確認する。

手順

1　手指衛生を行う（◯ 92, 93 ページ）。
2　ガウンまたはエプロンを着用する。
　留意点　着用時にガウンが周囲に触れないように注意する。とくに裾や腰ひもが床につかないようにする。
①ガウンの場合：左右の袖に腕を通し，背部に手をまわして首と腰の部分のひもを結ぶ。ガウンの背部から白衣が露出しないようにする。
②エプロンの場合：輪になっている首の部分を持ってかぶり，前面を十分に広げ，腰ひもを後ろで結ぶ。

○

×

a. よい例　　　　b. わるい例

a. ゴーグルの装着　　b. 眼鏡がある場合

3 マスクを装着する。
1) マスクの表裏と上下を確認する（⟳ 図 2-19）。
 留意点 鼻にフィットするように金具が内蔵されている場合，金具がついている辺が上辺となる。
2) 鼻と口をおおうようにマスクをあて，ゴムバンドを耳に掛ける。
3) 金具部分を鼻のカーブに沿って折り曲げ，すきまなく合わせる。
4) マスクを下側へのばし，顎（あご）の下までおおう。
 理由・根拠 顎や鼻，頬の部分にすきまがあると，そこから飛沫や病原体が侵入するおそれがあるため。

4 ゴーグルを装着する。
 留意点 視力矯正用の眼鏡はゴーグルの代用品にはならない。眼鏡の上からゴーグルを着用する。

5 手袋を装着する。
ガウンを装着している場合は，ガウンの袖口を手袋でおおうように着用し，すきまがないようにする。
 理由・根拠 汚染物が袖口とのすきまから入り込まないようにするため。

❷ PPE の脱衣

　　ここでは PPE を脱ぐ手順を示す。患者の湿性生体物質などで汚染した PPE を適切に脱衣することで，医療者への感染を予防できる。また，適切に廃棄し，感染の拡大を防ぐ。脱衣の際には以下の留意点がある。

脱衣場所● 脱衣は，病室から退室する前に，出入口付近もしくは前室（ぜんしつ）内で行う。

汚染部位の区別● 汚染の可能性がある部位は，視覚的に判別できなくても，汚染されたものとみなす。その部位に触れないように脱ぐ。

交換と廃棄● PPE は 1 処置ごとに交換する。患者やケアの内容がかわるときは，PPE を脱ぎ，そのつど廃棄する。

手順

1　手袋を外す。

理由・根拠 最も汚染の可能性が高いものを最初に破棄するため。医療行為は手を介して行われることが多い。

1) 手袋をした手で，もう一方の手首付近の手袋の外側をつまむ。

理由・根拠 手袋の端をつまむと，外す際に手首に触れ，皮膚が汚染されるおそれがある。

2) 中表になるように裏返しながら外す。

3) 手袋をした手で，外した手袋を小さく丸めて握る。

4) 手袋をした手首と手袋の間に，手袋を脱いだ手の指を差し入れる。

留意点 手袋を外した手が装着中の手袋の外側（汚染部分）に触れないようにする。

5) 外した手袋を握ったまま，装着中の手袋でそれを包むように裏返しながら外す。中表のまま手袋を廃棄する。

理由・根拠 汚染した部分をできるだけ内側に巻き込むことで，不用意な接触と汚染を防ぐ。

2　手指衛生を行う（➡92, 93ページ）。

理由・根拠 手袋にはピンホールとよばれる目に見えない小さな穴が開いていることがあり，汚染防止が完全でない場合があるため。手袋を外したあとは必ず手指衛生を行う。

3　ゴーグルを外す。両手で側面のフレーム部分を持ち，静かに取り外す。

留意点 ゴーグル前面は汚染の可能性があるので触れない。

4　ガウン（またはエプロン）を脱ぐ。

留意点　外側は汚染部位とみなし，触れないようにする。

  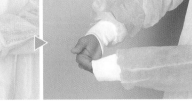

1）首ひもと腰ひもをほどいて外す。　　2）袖口に一方の手を差し入れて，手を袖から引き抜く。
　　引き切ることができるタイプの
　　ものは切ってもよい。

3）袖の内側からもう一方の袖を持　　4）ガウンを身体から離して持ち，中表に
　　ち，反対の腕を引き抜く。　　　　　　クルクルと小さくまとめ，廃棄する。

　　　　　　　　　　　　　　　　　理由・根拠　汚染したガウンが衣類
　　　　　　　　　　　　　　　　　に付着しないようにするため。

5　マスクを外す。
　　両手で左右のゴムひも部分を持って外し，廃棄する。
　　留意点　マスクの表面（前面，外側）は汚染の可能性がある
　　ので触れない。
6　手指衛生を行う。
　　理由・根拠　ガウンやマスクにも感染性物質が付着してい
　　る可能性があるため。

7　無菌操作

　　無菌操作とは，滅菌された器具や物品を，滅菌状態を保ちながら無菌的に
取り扱う技術のことである。無菌操作が必要となる場面は，手術や外科的処
置など，器具が患者の無菌組織に接触する，すなわち感染のリスクが高い医
療行為を行う場合である。

　　患者の体内への病原体の侵入を防ぎ，患者や医療従事者への感染を予防す
るため，無菌操作時には，器具の取り扱いや PPE の装着などにおいて，清
潔（無菌状態）と不潔（汚染状態）の範囲を明確に区別することと，厳密で正確
な操作技術が求められる。

① 無菌操作の準備

すべての無菌操作時には，必ず以下の準備を行う。

①**手指衛生**　無菌操作の前は必ず手指衛生を行い，手指を完全に乾燥させてから処置を行う。ぬれた状態では，病原体が付着・繁殖しやすくなる。また，手袋を装着しにくくなり，無理に装着することで手袋が破損するおそれもある。

②**作業環境の確保**　清潔で乾燥した，十分な広さの作業環境を整える。水にぬれやすい場所や，人の往来が多くほこりがたちやすい場所，段差などがあり不安定な場所，腰よりも低い場所などは，汚染されやすく，無菌操作を行う場所として適切ではない。

③**滅菌物の確認**　滅菌物を開封する前に，インジケーターが滅菌処理済みを示していること，滅菌の有効期限（使用期限）が過ぎていないこと，包装の汚染・水ぬれ・破損がないことを確認する（⇨図2-21）。

©olumn

新型コロナウイルス感染症（COVID-19）と感染予防

感染症の世界的な流行には，古くはペストや天然痘，スペイン風邪などがある。近年は国際化の進展により，人々が世界のあらゆる国や地域を往来するようになった。また，輸送手段の発達によって短時間で移動できるようになり，世界との距離が縮まった。これにより，感染症はより早く，より遠くに広がるようになっている。もはや世界中どこをさがしても感染症の流行に無関係な地域はない。

2019年末に中国の武漢ではじめて確認された新型コロナウイルス（SARS-CoV-2）は，2020年1月に国内でもはじめての感染者が確認された。わずか数か月で感染は世界中に広まり，3月11日にはWHOが「世界的な大流行（パンデミック）」を宣言するにいたった。2022年10月時点でも感染の終息にはいたっておらず，日本の医療現場においても緊張が続いている。

COVID-19は，人と人との密接な接触によって感染し，おもな感染経路は飛沫感染と接触感染と考えられている。そのため，感染予防策は，衛生学的手洗いと個人防護具の着用が基本となる。しかし，大切なのは，手技の獲得だけではなく，適切なタイミングで実施することである。感染の鎖（⇨83ページ）を断ち切るためには，いつ手指衛生を行い，どのようにマスクを着用することが適切なのか，一つひとつの行動をふり返り，見直す必要がある。

未知の感染症に対峙したとき，人は感染への恐怖から不確かな情報にふりまわされ，感染した人や，治療にかかわる医療従事者などに対しては差別や偏見の目が向けられてしまうこともある。そのような最中に，臨地実習などで医療施設に立ち入ることに，不安をおぼえるかもしれない。

しかしCOVID-19は，ほかの感染症と同様に，正しい知識と技術をもち，基本的な感染予防策を徹底することで十分に予防が可能である。過度におそれることなく，冷静に対応していかなければならない。

a. 滅菌インジケーター（処理前と処理後）

b. 有効期限（使用期限）

⮫ **図 2-21　滅菌インジケーターと有効期限**

❷ 滅菌物の取り扱い

　滅菌物には，①滅菌パックに直接入っている器具と，②滅菌包とよばれる布に包まれている器具がある。どちらも，中に入っている器具の滅菌状態を保ちつつ開封し，適切に取り扱う技術が必要である。次の手順を，無菌操作が必要な処置における微生物の媒介（ばいかい）を防ぐ目的で行う。

■滅菌パックの開き方

手順

1　開封口を確認する。熱圧着（ヒートシール）部分が開封口となる。
　留意点　開封口を誤ると，開封しづらかったり，開封時に包装紙が破損して汚染する可能性がある。

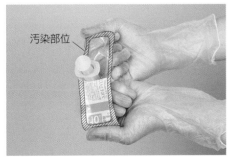

汚染部位

2　開封口を上にして，圧着部分を両手で持ち，左右にめくるように開く。取り出す際に器具が開封口に触れないように，折り返したままにしておく。
　理由・根拠　開封口は外部環境にさらされており，汚染の可能性がある。そのため，汚染されたものと考えて取り扱う。
3　静かに器具を取り出す。

■滅菌包の開き方

| 手順 |

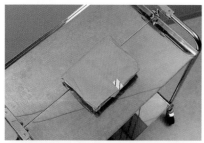

① 滅菌包布の端が折り返されているツマミ部分が手前に来るように置く。

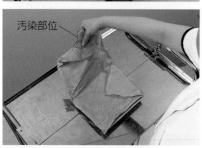

汚染部位

② 外側の包布を開く。滅菌テープをはがし，手前のツマミ部分を持ち，手前から奥側に向かって静かに広げる。

（理由・根拠）滅菌物の上方を，手が通過しないようにするため。

③ 包布の左右を順に開く。手指または滅菌された鑷子を用いて，包布の端をつまんで広げる。

（留意点）左側は左手で，右側は右手で開く。左側を右手で広げると動作が大きくなり，ほこりがたちやすい。また，滅菌物の上方を手が通過することで，無菌状態が保たれなくなるおそれがある。

①手指で開く場合：四方の端は汚染されたものとみなす。

②鑷子で開く場合：奥側に広げた端以外の三方は清潔とみなす。

④ 手前の布を開く。

■鑷子を用いた滅菌物の受け渡し方

目的●　滅菌状態を保って清潔に取り扱うことで，無菌操作が必要な処置における微生物の媒介を防ぐ。

鑷子の扱い方●　鑷子で滅菌物を取り扱う際は，以下の点に注意する。

- 鑷子は，つねに先端が水平よりも下を向くように持つ（◎図2-22）。先端を上に向けると，鑷子で把持した綿球などに含まれる液体が，持ち手のほうに流れるおそれがある。手指に付着した液体が再び先端に戻ると，綿球などを汚染してしまう。
- 鑷子は，上部（接合部側）1/2〜1/3の部分を持つ。
- 鑷子は，箸や鉛筆と同じ持ち方をして，母指と示指で把持する。
- 鑷子の先端は，使用時以外はつねに閉じておく。

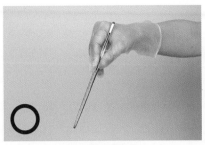

a. よい持ち方

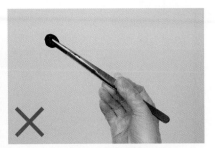
b. わるい持ち方

⟳ 図 2-22　鑷子の扱い方

手順

介助者　　　　　　　処置者

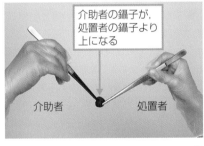
介助者の鑷子が，
処置者の鑷子より
上になる

介助者　　　　　処置者

1 滅菌パックを開封し，鑷子を取り出す。鑷子が開封口やその周囲に触れないように，垂直に取り出す。

2 介助者（渡す側）は鑷子で物品を取り出す。

　留意点　消毒用綿球を取り出す場合，綿球が消毒液を含み過ぎていると，液体が滴り落ちることがある。それを防ぐため，容器の内側でしぼってから取り出す。

3 処置者（受け取る側）に物品を渡す。

　留意点　処置者の鑷子は，処置により患者の皮膚などに触れる可能性がある。介助者の鑷子の清潔を保つため，以下に留意する。

①介助者の鑷子が，処置者の鑷子よりも上になるように，処置者は介助者が持つ物品の下側を持つ。

②介助者と処置者の鑷子の先端が触れないように注意する。

■滅菌手袋の装着

留意点●　処置前の手袋は，外側が清潔（無菌状態），内側が不潔（汚染状態）と考える。そのため，装着する際に医療従事者の皮膚（素手）が触れてよい部分は，滅菌手袋の内側部分のみであることをつねに意識する。誤って素手で外側部分に触れてしまった場合には，無菌状態は破綻したものとみなし，新たな手袋と交換する。

事前準備

▶装着した際に，ゆるみが出たり，すきまがあいたりしない，適切なサイズの手袋を選択する。

▶腕時計や指輪はあらかじめ外す。

▶清潔で乾燥した，十分な広さのある作業環境を整える。

手順

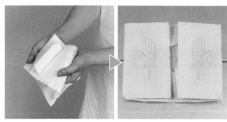

1 手指衛生を行う（○92，93ページ）。

2 滅菌パックを開封し，内装を取り出す。

　留意点 内装の内側（手袋と直接接している部分）には触れない。

3 作業環境に，手袋の手首部分が手前に来るように内装を置く。

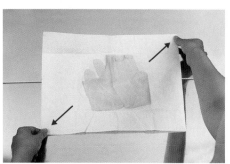

4 内装の折り返し部分をつまみ，静かに全体を開く。

5 開いた部分が再び手袋に接触しないように，四隅を対角線方向に引っぱり，しっかりと広げる。手袋の手首部分が折り返された状態になっていることを確認する。

　理由・根拠 一度開いた内装紙が再び折り返されてしまうと，内装を広げる際に素手で触れた部分が，滅菌手袋に接触する可能性があるため。

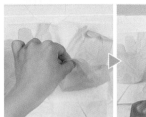

6 右手の手袋を装着する。

　留意点 左右どちらが先でもよい。

1）左手の母指と示指で，右手袋の折り返し部分の外側（手袋の内側）をつまんで持ち上げる。

　理由・根拠 折り返し部分は，手袋を装着した際に自身の皮膚と接触する部分であるので，素手で触れてよい。

2）すくい上げるようにして右手袋に右手を滑り込ませる。手首の折り返し部分は，折り返したままにしておく。

　理由・根拠 清潔を保つ必要がある部分（手袋の外側）を素手で触れてしまう可能性があるため，折り返しの部分はのばさない。

7 左手の手袋を装着する。

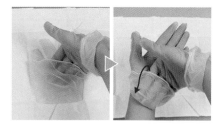

1）滅菌手袋を装着した右手の母指以外の4指を，左手袋の手首の折り返し部分の内側（手袋の外側）に差し込み，すくい上げるように持ち上げる。

　留意点 手袋を装着した手で触れてよい部分は，もう片方の手袋の外側部分のみである。また，手袋を装着していない手で触れてよい部分は手袋の内側部分のみである。

2）左手袋に左手を滑り込ませる。

8 両手の手袋の折り返し部分をのばす。示指と中指を手袋の折り返し部分の内側に差し込み，手首部分をのばす。たるみがでないように，折り返しの手首部分までしっかりとのばす。

　留意点 手袋を装着した手で，皮膚や手袋の内側に触れないように十分に注意する。

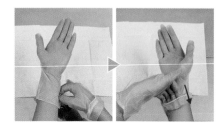

9 手袋を密着させる。指と指の間にすきまができないように，両手を組み，手袋をぴったりとはめる。

10 指先を上にして待機する。滅菌手袋を装着した手は，処置を始めるまで，指先を上方に向けて無菌状態を保つ。

[理由・根拠] このような姿勢をとることで，周囲に滅菌手袋を装着している状態であることを示すことができ，汚染物品との不用意な接触を避けることができる。

外し方● 滅菌手袋の外し方は，未滅菌手袋の外し方と同様である（◯96ページ）。滅菌手袋を外したあとは，必ず手指衛生を行う。

■滅菌ガウン

　手術時などのより厳密な無菌操作が必要な場面では，滅菌ガウンを着用することがある。滅菌ガウンを着用する際は，滅菌物の取り扱いに準じて，ガウンの滅菌状態を保ちつつ着用する技術が必要である。

　着用時は，滅菌ガウンが周囲に接触して汚染されないように，十分な作業領域を確保する。また，着用は必ず2人1組で行い，1人は介助をする。

　滅菌ガウン着用後は滅菌手袋を装着し，ガウンの手首部分を手袋でしっかりとおおう。なお，滅菌手袋の装着方法には，ガウンの袖から手を出して手袋を着用するオープン法と，ガウンの袖口に手を入れたまま手袋を着用するクローズド法がある。

8 リネン類，廃棄物の取り扱い

　患者が使用したシーツなどのリネン類や，医療施設から排出されるさまざまな廃棄物も感染源になる可能性がある。これらの処理には，洗濯業者や廃棄物回収業者などの外部の業者がかかわることが多く，業者は病院内で分別されたものを回収・運搬し，処理を行っている。病院内で不適切な分別が行われると，処理業者が感染の危険にさらされ，病院外へ感染が伝播することもある。

　そのため，医療従事者はリネン類や廃棄物について，決められたルールに従い，感染予防の技術を用いて，適切に分別・処理する必要がある。

❶ リネンの取り扱い

■通常の使用済みのリネンの処理

　通常，健康な皮膚が接触したリネンからの感染の危険性は低いと考えられている。そのため，患者の皮膚と直接接触した使用済みのリネンについて，消毒や滅菌は不要である。リネンはほこりをたてないように静かに交換し，床には置かず，白衣と接触しないように身体から離して持ち，決められたランドリーボックスへと分別する。

■感染性リネンの処理

　感染性があるリネンとは，①血液・体液や分泌物，排泄物などの湿性生体物質に汚染されたリネン，②接触予防策が必要な感染症に罹患している患者が使用したリネンをさす。

　感染性リネンを取り扱う際は，手袋・マスク・ガウンを着用し，交換したその場で水溶性ランドリーバッグやプラスチック袋に入れて密封する。袋には，感染性リネンが収納されていることが第三者にもわかるように「尿」や「血液」などと，感染性を示す記載をして運搬する。洗濯するときは，80℃で10分以上の熱水消毒，もしくは汚染の種別（血液・細菌・ウイルスなど）に応じた濃度の塩素系消毒薬を用いた消毒を行う。

❷ 廃棄物の取り扱い

■廃棄物の種類

　医療施設で出される廃棄物にはどのようなものがあるだろうか（◯図2-23）。療養している患者のベッド環境を考えてみると，雑誌やティッシュペーパー，食事の食べ残し，ペットボトルなど，家庭から出る廃棄物とかわらないものがある一方で，点滴ボトルや針，蓄尿バッグ，ギプス，酸素マスクなど，医療施設ならではの廃棄物もあることがわかる。また，手術室では，摘出した臓器，メス，血液で汚染されたガーゼや手袋，輸血，薬びん（アンプルやバイアル）などが廃棄される。検査室では，採血管やX線フィルムなども不要になれば廃棄される。

　廃棄物は，感染予防の観点から安全に取り扱うために，環境省が定める「廃棄物処理法に基づく感染性廃棄物処理マニュアル」に従って，適切に分別・処理されなければならない。廃棄物は，医療行為等に伴って生じる①感染性廃棄物と②非感染性廃棄物，医療行為に関連しない③一般廃棄物の3つに大別される。

■感染性廃棄物の処理

　感染性廃棄物とは，湿性生体物質や病原体が含まれたり付着しているもの，

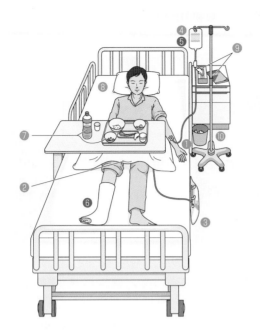

感染性廃棄物
❶点滴ルートと留置針
❷おむつ
❸蓄尿バッグ
❹輸血の点滴ボトル

非感染性廃棄物
❺輸血以外の点滴ボトル
❻ギプス

一般廃棄物
❼食事の食べ残しやペットボトル
❽枕・シーツ(すてる場合)
❾ティッシュペーパーや雑誌
❿ごみ箱のごみ

◯ 図 2-23　病室(一般病床)から出る廃棄物の種類と例

またはそのおそれのある廃棄物をさす。たとえば，血液が付着したガーゼ，採血後に穿刺部位にはる絆創膏，痰を吸引したカテーテルなどはもちろん，処置を行う際に着用する手袋やエプロンなどの個人防護具は目に見えるよごれがついていなくても，付着したおそれのあるものとして感染性廃棄物に分類される。

廃棄容器と●
バイオハザード
マーク

感染性廃棄物は，その形状によって廃棄容器を分ける必要があり，国際的に統一されたバイオハザードマークの表示が推奨されている。バイオハザードマークの色は，3種類ある(◯ 表 2-14)。廃棄容器に入れる廃棄物の量は容器の8割程度までとし，詰め込みすぎないように注意する。廃棄物を入れすぎると，ふたを閉める際に内容物が飛散・流出し，感染の拡大につながるおそれがある。

❾ 隔離

隔離の種類●
隔離は，感染経路を遮断する手段の一つであり，感染源隔離と逆隔離(保護隔離)の2つに分けられる。これらを状況に応じて使い分けることで，患者や医療者を新たな感染から防ぐことができる。

①**感染源隔離**　病原体を保有した感染源である患者を，個別に，または同じ疾患の患者を1か所に収容することで，ほかの患者に感染が拡大することを防ぐ方法である。おもに感染経路別予防策が必要となる疾患が対象となる。とくに空気感染予防策の場合は，病原体が外部へ飛散しないように，陰圧換気システムが整備された空気感染隔離室が必要となる。

◯ 表2-14　廃棄物の形状による感染性廃棄物の分類

項目	液状・泥状のもの	固形物	鋭利なもの
バイオハザードマークの色	赤色	橙色	黄色
おもな内容物	• 血液・体液，組織などの廃液 • 血液製剤 • 採血管	• 湿性生体物質が付着したガーゼ • アルコール綿 • 個人防護具 • ディスポーザブル製品 • 輸液バッグ・輸液セット • カテーテル類	• 注射針 • 採血針 • メス • アンプル • バイアル • ガラスシャーレ
廃棄容器の特徴	廃液などがもれない密閉容器。	じょうぶなプラスチック袋を二重にする。あるいは堅牢な容器。	金属製・プラスチック製など，危険防止のために耐貫通性のある堅牢な容器。
備考	• 血液製剤は，外見上血液と見分けがつかないため「感染性廃棄物」として分類する。		• 鋭利なものは，汚染の有無にかかわらず「感染性廃棄物」として分類する。 • 針以外に，アンプルやバイアルなどのガラス製の薬液びんも含まれる。

②**逆隔離（保護隔離）**　感染に対する抵抗力や免疫機能が著しく低下している患者を，外部から閉鎖された環境に保護することで，病原体の侵入を防ぐ方法である。新生児や，がんの化学療法・放射線療法中の患者，移植手術後の患者などが対象となる。クリーンルームとよばれる，外部の空気が室内に直接流入しないように管理された，陽圧換気システムの防護環境室に収容する場合もある。

留意点●　隔離が必要な場合，患者には隔離が必要な理由とその期間，行動や面会の

Ⓒolumn

「院内感染」から「医療関連感染」へ

　CDC は 2007 年に発表したガイドラインで，「院内感染」という用語を「医療関連感染 healthcare-associated infections（HAI）」に変更した。この用語変更の背景には，近年，医療を提供する場が病院内にとどまらず，診療所や療養型施設，デイケア，在宅医療などと，多様化していることがある。「院内感染」という言葉は，病院内で伝播した感染のみをさしている印象を与えるが，「医療関連感染」は，医療が提供されるあらゆる現場で，医療サービスに関連しておこる感染であることを示している。

制限などについて十分に説明し，理解を得ることが大切である。そのうえで，室外に出る際の防護具の着用など，患者自身にも協力してもらうことにより，感染の拡大の防止が可能となる。

　隔離をされた患者は，周囲との接触を制限された生活のなかで孤独を感じやすい。大きなストレスをかかえて，不安や抑うつなどの精神的な動揺が生じることもある。また，防護具を着用した看護師は表情がわかりにくくなり，患者に無表情で冷たい印象を与えかねない。感染予防対策を確実に実施するとともに，このような患者の心情にも十分に配慮してかかわっていく必要がある。

⑩ 院内感染予防

院内感染とは●　医療施設において，患者が入院前には罹患していなかった感染症に罹患することを**院内感染**という。院内感染の多くは，医療従事者の手指や医療器具を介して患者から患者へと感染が伝播する。

　入院患者への院内感染で今日(こんにち)問題となっているのは，一般的な感染性疾患に加え，メチシリン耐性黄色ブドウ球菌(MRSA)やバンコマイシン耐性腸球菌(VRE)，多剤耐性緑膿菌(りょくのう)(MDRP)などの，抗菌薬がききにくい病原体による感染症である。免疫機能の低下した患者がこれらへの感染をおこすと，重症化しやすい。

院内感染予防の●
組織的取り組み　感染予防のための組織的な取り組みとして，病院内には**感染対策チーム** infection control team(**ICT**)がある。ICT は，感染管理に関する専門知識と経験をもつ医師や看護師・薬剤師・臨床検査技師などで構成され，院内全体の感染管理を担っている。

　ICT は，感染対策マニュアルの作成や院内の感染症発生状況の把握を行ったり，定期的に病棟を巡回したりして現場で感染予防法の確認や助言を行う。また，各病棟には**リンクナース**とよばれる看護師がおり，ICT と密に情報交換を行い，現場で病棟スタッフに感染対策の周知や教育指導を行っている。

　このように，感染予防は，個人の努力のみで終始するのではなく，院内全体の問題として組織的に取り組むことが必要不可欠である。

●参考文献
1 ）尾家重治編：病棟で使える消毒・滅菌ブック．照林社，2014.
2 ）大野義一朗監修：感染対策マニュアル，第 2 版．医学書院，2013.
3 ）斧康雄編：医療関連感染対策なるほど！ ABC，改訂 2 版．ヴァンメディカル，2013.
4 ）環境省：廃棄物処理法に基づく感染性廃棄物処理マニュアル．2018.
5 ）川口孝泰：ベッドまわりの環境学．医学書院，1998.
6 ）小林寛伊編：最新病院感染対策 Q&A——エビデンスに基づく効果的対策，第 2 版．照林社，2004.
7 ）大久保憲ほか編：2020 年版 消毒と滅菌のガイドライン．へるす出版，2020.

8）坂本史衣：基礎から学ぶ医療関連感染対策，改訂第3版．南江堂，2019.
9）パトリシア・リンチほか著，藤井昭訳：限られた資源でできる感染防止．日本看護協会出版
　　会，2001.
10）米国疾病管理予防センター著，満田年宏訳著：隔離予防策のためのCDCガイドライン．
　　ヴァンメディカル，2007.
11）満田年宏訳著：医療施設における消毒と滅菌のためのCDCガイドライン 2008．ヴァンメ
　　ディカル，2009.
12）矢野邦夫：CDCガイドラインに学ぶ感染対策．南江堂，2011.
13）矢野邦夫・森兼啓太編：各国基準・文献に基づく 臨床ですぐ使える感染対策エビデンス集
　　＋現場活用術．Infection control 19（春季増刊）2010.

まとめ

- 感染の成立には，①感染源，②感受性宿主，③感染経路が必要である（感染の3要素）。
- 標準予防策では，すべての患者の血液，体液，分泌物，排泄物，創のある皮膚・粘膜を感染の可能性がある物質とみなす。
- 感染経路別予防策には，接触感染・飛沫感染・空気感染（飛沫核感染）への対策がある。
- 消毒薬は，その種類ごとに殺滅できる微生物が決まっている。対象となる器具に適切な消毒薬を選択し，適切な濃度・温度・接触時間などの用法を理解して使用する。
- 高温・高湿に耐えられる器材の滅菌の際の第一選択は，高圧蒸気滅菌器（オートクレーブ）による高圧蒸気法である。
- 医療施設からの廃棄物には，①感染性廃棄物，②非感染性廃棄物，③一般廃棄物がある。
- 感染予防のための組織的な取り組みとして，病院内には感染対策チーム（ICT）がある。

復習問題

❶ 次の問いに答えなさい。

①標準予防策において，感染性の病原体を含む可能性があるとみなすものはなにか。

答〔　　　　　　　　　　　　　〕

②世界保健機関（WHO）が提唱する手指衛生の5つのタイミングをすべて答えなさい。

答〔　　　　　　　　　　　　　〕

③手指衛生において，洗い残しやすい部位をあげなさい。

答〔　　　　　　　　　　　　　〕

❷ 〔　〕内の正しい語に丸をつけなさい。

①医療器具などから，目的とする微生物を殺滅することを〔消毒・滅菌〕という。

②速乾性擦式消毒薬による手指消毒で，ポンプ式の場合はポンプを〔一番下まで・半分程度〕押し下げるように操作する。

③PPEの脱衣の際に手袋を最初に外すのは，汚染されている可能性が〔高い・低い〕からである。

④滅菌手袋を装着する際に素手で触れてよいのは，手袋の折り返し部分の〔内側・外側〕である。

⑤滅菌物を鑷子を用いて受け渡すときには，〔介助者の鑷子・処置者の鑷子〕がもう一方の鑷子よりも上になるように留意する。

❸ バイオハザードマークの色と分類について，左右を正しく組み合わせなさい。

①赤色・　　　　　・Ⓐ鋭利なもの

②橙色・　　　　　・Ⓑ固形物

③黄色・　　　　　・Ⓒ液状・泥状のもの

第3章 対象者の観察と看護の展開のための技術

A 身体および心理・社会的側面の観察

1 身体および心理・社会的側面の観察とその目的

観察とは●　観察とは，看護師の感覚（観る，触れる，聴く，嗅ぐ）を通して看護の対象者のありのままの状態を注意深くみることである。観察には身体的な側面と心理・社会的な側面の観察がある。

　身体的な側面になんらかの問題が生じれば，心理・社会的側面もその影響を受け，心理・社会的側面になんらかの問題を生じれば，身体的な側面にも影響があらわれる。看護師として人を全体としてとらえるためには，身体的な側面と心理・社会的側面の両方を観察していく必要がある。

観察の意義●　看護師は，どの医療職よりも対象者（患者）に近い立場にいる。そのため，看護師は，対象者を注意深く観察することで，異常をいち早く察知することができる。

　身体および心理・社会的側面の観察は，対象者と出会ったその瞬間から始まる。具体的には，はじめてあいさつをするときに，相手の体格や表情，服装，呼吸の状態，話す口調，口臭や体臭をはじめ，ふらついて倒れそうになっていないか，付き添いの家族とどのようにかかわっているのかなどの多くの情報を瞬時に得ることができる。

観察の目的●　身体および心理・社会的側面の観察を行う目的は，対象者の現在の身体および心理・社会的な状態をしっかりと理解し，よりよい看護を提供することである。その内容は，次の３つに大きく分けることができる。

　①健康上の問題の客観的な把握　看護を実践するためには，対象者の訴えから得られる情報（**主観的情報** subjective data）と，看護師が対象者を観察することで得られる情報（**客観的情報** objective data）を集める必要がある（◯150ページ）。

　つまり「ここが痛い」という訴えに耳を傾けるだけでは観察とはいえない。なぜそのような痛みが生じているのかを考えながら，どのような痛みなのか，

いつから痛みを感じているのかを対象者にたずねる。そして，対象者に苦痛をできるだけ与えないようにしながら，患部を見たり触れたりして，看護師の五感を通じて情報を集めることも必要である。

　身体と心理・社会的な状態を的確にみていくためには，ふだんから観察の方法を学び，実践できるようにトレーニングを重ねていくことが求められる。

　②**身体および心理・社会的側面の異常の早期発見**　身体的側面では，対象者の異常にいち早く気づくために，ふだんから対象者の表情や行動に関心をもち，「いつもとはなにかが違う」と気づくことが重要である。診療や面談のときだけでなく，寝る，起きる，食べる，排泄するといった対象者の日常生活の行動における少しの変化にも敏感になる必要がある。たとえば，高齢の患者が，ふだんよりも食事量が少なく活気がなかったため，ほかの看護師や医師に報告・相談し，検査をしたところ心筋梗塞がみつかったということもある。また，心理・社会的な側面では，病気によって仕事や家事ができなくなるストレスや，治療費の負担や職場の変更などの経済的な理由から，健康に支障を伴うこともある。

　このように，もし，なんらかの異変がおきていると感じたり，同じような状態が繰り返しあらわれたりする場合には，明確に言葉にして伝えることができない場合でも，まず，ほかの看護師に報告する。複数の看護師で確認し合い，情報を共有し，その後の観察や対応を検討することが重要になる。

　③**看護ケア前後の変化の把握**　頭髪のよごれがひどい対象者に洗髪を実施した場合，実施後に対象者の頭皮や頭髪のよごれがみられなくなったことが観察できれば，その看護ケアが対象者にとって有効であったという評価ができる。退院後の生活に不安を感じている対象者であれば，退院後の日常の生活を対象者が具体的にイメージできるまで退院指導を行うことができれば，その看護ケアは有効であったと評価できる。また，看護ケアの前後で対象者のバイタルサイン（◎115 ページ）が変化なく経過すれば，対象者にとって安全に看護ケアが実践できたと評価することもできる。

記録・報告・　　●　観察によって得た情報は，対象者の看護や治療にいかさなければならない。
相談　そのためには，情報を正確に得ることに加えて，正しく記録し，異常を発見した場合には医師やほかの看護師などにただちに報告・相談することが必要である（◎158 ページ）。

② ヘルスアセスメント

ヘルスアセス　●　看護師が身体の観察を行うことは，対象者の全身の状態を的確に把握する
メントとは　ことにほかならない。このように，身体的な側面および心理・社会的側面に関して情報を集め，健康状態を査定（アセスメント）することを**ヘルスアセスメント**という（◎表3-1）。

観察の視点　●　身体的側面の観察を効率的に実施するために，頭尾法（頭の先から足に向

○ 表3-1　ヘルスアセスメントの枠組み

観察の側面	観察の視点	観察内容
身体的側面 （頭尾法に よる観察）	バイタルサイン（○ 115ページ）	意識（覚醒状態, 認知機能）, 体温, 脈拍, 呼吸, 血圧
	身体各部の測定（一部）（○ 138ページ）	身長, 体重 ※薬物投与量の決定に必須
	皮膚・爪	皮膚のはり, 色, 褥瘡の有無
	頭頸部（脳神経系, 感覚器系, 循環器系）	脳神経の機能（視覚・嗅覚・聴覚・味覚機能, 眼の動き, 顔面の知覚と咀嚼・動き, 嚥下機能, 対光反射）
	胸部（呼吸器系, 循環器系, 乳房・腋窩）	呼吸苦の有無, 補助呼吸の有無, 呼吸音, 心音, 乳房の左右差, しこりの有無
	腹部, 生殖器・肛門部（消化器系, 泌尿器系, 生殖器系）	腸蠕動音, 排尿・排便状況, 生殖器に関連する違和感
	歩行, 姿勢, 骨格, 筋肉 （運動器系, 循環器系）	姿勢保持, 歩行, 日常生活の動き（関節可動域, 筋力）, 末梢循環状態
心理・ 社会的側面	自分自身をどのようにとらえているのか（自己概念）	身体の感覚や痛み, 自分のボディイメージ, 自己の理想, 自尊感情, 不安
	どのような役割をもっているのか（役割機能）	病気を治すうえで必要なことが実施できているか（患者役割）, 家族のなかでの役割, 社会での役割（就業先など）, 近隣地域での役割
	心から信頼をおける人はいるのか（相互依存, 重要他者） どのような人や時間や社会資源が活用できるのか（サポートシステム）	信頼できる人がいるのか, 要介護認定の有無, 社会資源の活用状況, 経済状況（現在の収入, 健康保険など）

かって順番に観察する方法）を用いて示した。心理・社会的側面の観察については, ロイ適応看護モデルのうち, 自己概念, 役割機能様式, 相互依存様式を参考に視点を整理した。

　身体的な観察に比べて, 心理・社会的側面の観察は, 対象者自身にたずねなければわからないことが多い。将来への漠然とした不安からうつ状態になる場合もあるため, 看護師側からていねいに観察して情報を集めていく必要がある。とくに, 心理状態の変化は日常生活の行動にあらわれるため, ちょっとした行動の変化をなにかのサインととらえて対象者に確認することが, 看護師として必要になる。

③ 観察の方法

　ここからは, ヘルスアセスメントを行うにあたり, 対象者に実施する面接（問診）および基本的な手技（身体診査, フィジカルイグザミネーション）について, 例をあげながら述べる。

観察時の留意点● 　身体の観察時には, 対象者の身体的負担を最小限にする。また, 身体の露出や羞恥心に十分配慮してかかわる。心理・社会的側面の情報を得るため

には，対象者の受け答えや視線の合わせ方，しぐさ，服装，周囲の人とのかかわり方を観察するとともに，不安や経済状況に関する訴えについても，いつでも笑顔で親身に話を聴く態度で接することが重要となる。

● **面接(問診)**

　対象者自身が感じていることや考えていることについてたずねる方法である(⇨図 3-1-a)。身体的な訴えや，不安や悩み，経済的な問題などの対象者に関する多くの情報を得ることができる。対象者のかかえる痛みや不安などの情報は，原則的には対象者本人にたずねなければわからない場合が多いが，小児や言語的コミュニケーションがとれない対象者の場合には，家族から情報を得ることもある。

　認知機能に問題がある場合には，現在の記憶がどの程度まで保たれているのかを確認する必要がある。一般に，勉強したことで得られる意味記憶(言葉や知識の記憶)，個人的な経験に関するエピソード記憶(自分の生涯のできごとに関する記憶)，手続き記憶(箸を使う，洋服を着るなど，繰り返して得

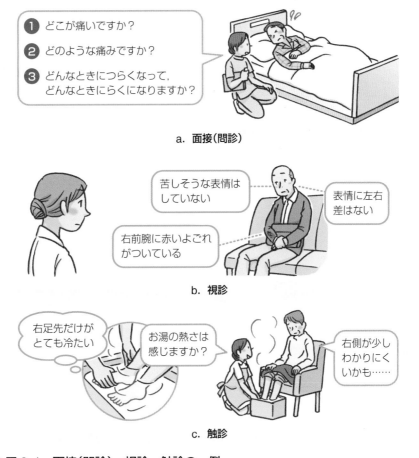

a. 面接(問診)

b. 視診

c. 触診

⇨ 図 3-1　面接(問診)，視診，触診の一例

た動作の記憶），感情記憶（快・不快）について確認する。

●視診

看護師の目を使って対象者の身体を注意深くみる方法である（◎図 3-1-b）。対象者に出会ったその瞬間から始まる。具体的には，大きさ・形・動きの異常や対称性（左右が同じか），分泌物などを確認する。視診と同時に嗅覚を使って，対象者の体臭や分泌物などのにおいについても情報を得る。対人関係に関する情報として，対象者が目線を合わせることができるかどうかなども重要な観察項目となる。

●触診

看護師の手を使って，対象者の身体に注意深く触れる方法である（◎図 3-1-c）。バイタルサイン測定の際に，脈に触れることも触診に含まれる。具体的には，看護師の手を用いて対象の温度，湿度，かたさ，疼痛（痛み），振動，運動時の抵抗，変形や大きさなどを観察する。看護師は看護ケアの際に手を多く用いるので，看護ケアのときに触診を行って情報を集めることができる。

●打診

看護師の手または打腱器などの器具を用いて，対象者の身体の一部を軽くたたき，その音や振動，反射から，臓器の位置や大きさ，内部の異常の有無を観察する方法である。看護師の手を用いて打診を行うときは，看護師が右利きの場合，左手の中指をピンとのばし，右手をリラックスさせて，左手中指の第 1・2 関節の間をすばやく右手の中指でたたく（◎図 3-2）。このときの打診の音には，大きく分けて鼓音・濁音・共鳴音の 3 種類がある。

①**鼓音**　ポン，ポン，ポンという太鼓に似た音で，胃や腸などの，やわらかい組織に空気やガスがたまっている部位をたたいたときに聴こえる。

②**濁音**　ト，ト，トと響かずにとまって聴こえる音で，骨や筋肉，肝臓や心臓などの組織がつまっている部位をたたいたときに聴こえる。

③**共鳴音**　よく響いて聴こえる音で，空気を多く含んだ肺をたたいたときに聴こえる。その他の臓器では共鳴音は聴こえない。

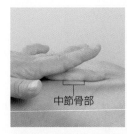

①左手の中指の中節骨部を密着させる。　②右手の中指を少し曲げて固定する。　③右手の手首のスナップをきかせて中節骨部を 2 回たたく。

◎ **図 3-2　打診の方法（右利きの場合）**

●聴診

聴診器を用いて体内の音を聴く方法である。聴診器を用いて聴くのはおもに呼吸音と腸蠕動音である。呼吸音については，バイタルサインの呼吸の項で詳しく述べる（⊕118ページ）。腸の動きの聴診には，腹部の1か所（右下腹部など）に1分間聴診器をあてて，ポコポコポコ，ギュルルなどといった音が聴こえるかどうかを確認する。

④ バイタルサイン

バイタルサインとは，生きている vital ＋しるし signs，つまり生命 徴 候のことである。バイタルサインはヘルスアセスメントにおける最も重要な観察項目をまとめたものである。

バイタルサインの観察は，対象者の健康状態を的確に把握するために必要不可欠である。たとえば人が倒れているという緊急の場合には，意識があるか，呼吸をしているか，脈は触れるかなどと，まずはバイタルサインの確認を行う。もしそれらの1つでもそこなわれた状態であれば，その人がなんらかの対応をただちに必要とする状況におかれていることがわかる。また，外来に徒歩で来院した場合で，意識がしっかりしており，呼吸が極度に乱れていないようであれば，体温や脈拍から測定を始める。

看護師は，バイタルサインの測定を正しい手技で，かつ必要なときに実施することが重要である。さらに重要なことは，測定したバイタルサインが，その対象者にとって正常範囲かどうかを知り，異常があった場合にはその状況について早急に医師などに連絡して，対応を求めることである。

なお，報告の方法として，分かりやすく相手に伝えるためのツールとして「ISBARC（アイエスバーシー）」がある（⊕159ページ）。

バイタルサインの測定順序● バイタルサインの測定順序については，緊急時であれば意識・呼吸・脈拍・血圧・体温の順とする。病状が安定していれば，意識・体温・脈拍・呼吸・血圧の順で測定する。測定項目は対象者の状況に応じて考え，体温が高ければ15分後に体温のみを再度測定したり，呼吸が苦しいとの訴えがあれば，酸素飽和度のみを適時測定したりする。これらのバイタルサインについて，そのしくみ（メカニズム）と測定方法について以下に述べる。

① 意識

■意識障害

臨床において意識とは，目ざめている（覚醒している）程度のことをいい，大脳皮質の活動レベルによって決まる。大脳皮質の活動レベルは，中脳 橋被蓋から網目状に走る上行性経路からの刺激によって保たれている。上行性経路は，視床および大脳皮質に到達するまでの間に複雑な調節を受けている。

つまり，対象者の意識がない，意識の状態がなんとなくおかしいという場

⊃ 表3-2　意識障害のおもな原因

アルコール中毒	（Alcoholism）	急性アルコール中毒など
インスリン	（Insulin）	低血糖，糖尿病性昏睡など
尿毒症	（Uremia）	尿毒症，電解質異常など
脳症	（Encephalopathy）	てんかん，脳血管障害，髄膜炎など
薬物（麻薬）	（Opiate）	鎮静薬，麻薬など
外傷	（Trauma）	頭部外傷，硬膜外血腫など
感染症	（Infection）	敗血症，脳炎，髄膜炎など
精神疾患	（Psychiatric）	中枢神経抑制薬，統合失調症など
失神	（Syncope）	心拍出量の低下，大量出血など

これらの英語の頭文字をとって，アイウエオチップスと覚えるとよい。

⊃ 表3-3　ジャパン-コーマ-スケール（JCS，3-3-9度方式）

Ⅰ. 刺激しないでも覚醒している状態（1桁の数字で表現）

　1　だいたい意識清明だが，いまひとつはっきりしない。
　2　見当識障害（日付や場所などがわからない）がある。
　3　自分の名前や生年月日が言えない。

Ⅱ. 刺激すると覚醒し，刺激をやめると眠る状態（2桁の数字で表現）

　10　ふつうの呼びかけで容易に開眼する。合目的的な運動をし，言葉は出るが，間違いも多い。
　20　大きな声または身体を揺さぶることにより開眼する。簡単な命令に応じる。
　30　痛み刺激を加えつつ呼びかけを繰り返すと，かろうじて開眼する。

Ⅲ. 刺激しても覚醒しない状態（3桁の数字で表現）

　100　痛み刺激に対し，払いのけるような動作をする。
　200　痛み刺激に対し，少し手足を動かしたり，顔をしかめる。
　300　痛み刺激に反応しない。

注）まずⅠ～Ⅲのどれに該当するかを判断し，次にその詳細を3通りに分ける。「Ⅰ-3」「Ⅱ-10」「Ⅲ-200」などと表記する。意識清明は「0」と表記する。

合，大脳皮質になんらかの問題が生じているか，中脳橋被蓋から大脳皮質に向かう複数の上行性経路に問題が生じていることになる。具体的には，⊃ 表3-2 に示すような原因から意識障害がおこる。

■意識障害の観察

　意識の状態を測定する際に用いられる代表的な尺度として，ジャパン-コーマ-スケール Japan coma scale（**JCS**，3-3-9度方式）（⊃ 表3-3）とグラスゴー-コーマ-スケール Glasgow coma scale（**GCS**）（⊃ 表3-4）がある。

　ここでは，JCS を用いた意識状態の観察方法について述べる。

留意点●　観察時に，対象者に意識障害が新たにみられた場合や，前回確認した意識レベルから急激に変化している場合は，早急に医師またはほかの看護師に報

◯ 表3-4　グラスゴー-コーマ-スケール（GCS）

開眼(E) (eye opening)		最良言語反応(V) (best verbal response)		最良運動反応(M) (best motor response)	
自発的に	(4)	見当識あり	(5)	命令に従う	(6)
呼びかけにより	(3)	会話混乱	(4)	疼痛部位認識可能	(5)
痛み刺激により	(2)	言語混乱	(3)	四肢屈曲反応	
開眼しない	(1)	理解不明の声	(2)	逃避	(4)
		発語しない	(1)	異常屈曲	(3)
				四肢伸展反応	(2)
				まったく動かない	(1)

注）3つの項目の合計点を求める。最も重症：3点，最も軽症：15点。

告する。また，JCS の意識レベルは前回観察時と同じでも「なにかがおかしい」と思った場合には，迷わずほかの看護師に報告し，必ず複数の看護師の目で対象者の状態を確認する。

必要物品

① JCS の表，②瞳孔計，③ペンライト

POINT　いずれも，いつでも確認できるようにつねに携帯しておくと便利である。②，③は，部屋の明るさが十分に確保できない場合や意識障害が重症であることが予測される場合に，瞳孔の大きさの計測，対光反射の確認のために使用する。

手順

1　覚醒状態を確認する。ベッドサイドに行き，対象者が覚醒しているかどうかを確認する。JCS の I～Ⅲのどれに該当するかを判断する。

　　I：刺激しないでも覚醒している

　　Ⅱ：刺激すると覚醒し，刺激をやめると眠る

　　Ⅲ：刺激しても覚醒しない

　　刺激せずに 15 秒以上目がさめていれば「覚醒している」と考える（JCS I）。名前や生年月日，今日の日付，ここがどこかなどを質問し，反応をみる。

　　ベッドサイドで開眼しており，呼名（名前を呼ぶこと）に反応し，問いかけに対してもしっかり答えていれば**意識清明**（意識クリア）として，JCS は「0」と判断し，観察を終える。覚醒していない場合には，観察を続ける。

2　刺激をする。覚醒していない場合，まず呼名したり肩を軽くたたく。それでも覚醒しない場合には痛み刺激を用いる。健側（麻痺などのない側）の手足の爪のつけ根の部分をある程度の強さで圧迫したり，眼窩の上縁や胸骨部を拳で圧迫する方法がある。反応により，JCS ⅡまたはⅢを判断する。

　留意点　次の点に留意して実施する。

　①痛み刺激と呼名を同時に，何度か繰り返しながら行う。

　②対象者に感覚障害がある場合，または感覚障害があるかどうかわからない場合には，複数の部位に痛み刺激を加える。

・**開眼状態で評価しにくい場合**

　①不穏状態，②失禁，③無動性無言症の有無について観察を行う。

POINT 無動性無言症では，物をじっと見たり，物を目で追うなどの眼球運動がみられるが，四肢の自発的な運動はみられず，無言である。

- **痛み刺激を行っても開眼しない場合**
  看護師の手を使って対象者の眼瞼(まぶた)を持ち上げ，眼球の動きや位置の観察を行う。必要時，対光反射を確認する。室内照度を落とし，対象者の片側の瞳孔にペンライトなどで光を差し入れて，左右の瞳孔の大きさ(縮瞳状態)を観察する。

あとかたづけと記録・報告

1 対象者の体位や環境を整える。
2 観察した意識状態を正確に記録し，医師あるいは看護師に報告する。意識障害に対する対応を行った場合，その内容も記録し，報告する。
　記録例) JCS 0(意識清明)，JCS Ⅰ-1
3 意識の異常がみとめられた場合には，すぐに医師あるいは看護師に報告する。

② 呼吸

■呼吸の生理

　呼吸とは，からだの中に酸素を取り入れて，体内の二酸化炭素を体外へ排出することである。呼吸運動はおもに外肋間筋と横隔膜の運動によって行われる。通常は，延髄にある呼吸中枢によってコントロールされている。

　呼吸は，⇨**表3-5**に示したしくみによって調節されている。このように，呼吸は自分の意思とは関係なくおこる場合と，自分の意思でコントロールできる場合(随意的調節)の両方で調整されている。そのため，対象者のふだんの呼吸状態を知るためには，呼吸状態をはかられていることがわからないように配慮しつつ，呼吸状態を観察することが必要になる。

　なお，随意的調節を利用して，呼吸音を聴いているときに深呼吸をしてもらうなど，観察するにあたり対象者から協力を得ることもできる。

■呼吸の観察

　呼吸が苦しくなっているときは，単に肺から血中に酸素を取り入れること(**外呼吸**)だけが問題となっているとは限らない。酸素を肺から取り入れられたとしても，全身に血液を循環させるための心臓のポンプとしてのはたらき

◯ 表3-5　呼吸の調節

不随意	神経性調節	肺がふくらむと呼吸中枢が刺激されて吸息がとまり，肺がしぼむと吸息が始まる。
	化学的調節	血液中の酸素や二酸化炭素の量で呼吸を調節する。二酸化炭素分圧が高まると，換気量を増やすようにはたらく。
随意	随意的調節	みずから意識的に呼吸をしたり，とめたりする。

◎ 表 3-6　呼吸の種類と観察方法

種類	内容	観察方法
外呼吸	肺胞における外気と血液とのガス交換	呼吸回数，呼吸のパターン，呼吸音など
内呼吸	組織における血液と細胞とのガス交換	パルスオキシメーター（SpO_2 の計測）など

◎ 表 3-7　呼吸運動の種類

胸式呼吸	おもに肋間筋のはたらきによって行われる呼吸。ラジオ体操の深呼吸のように，胸や肩や首の筋肉を使うため，その部分は緊張する。腹部をしめつけられる服を着ている場合には胸式呼吸になりやすい。
腹式呼吸	おもに横隔膜のはたらきによって行われる呼吸。鼻からゆっくり息を吸い込み，おなかをへこませながら口からゆっくり息を吐き出す。腹式呼吸には胸式呼吸のような筋緊張はなく，リラックス効果がある。
胸腹式呼吸	肋間筋と横隔膜の両者のはたらきによる呼吸で，通常はこの呼吸運動で呼吸をしている。

が不十分だったり，酸素を運ぶための血液が少なくなっていたりするために，細胞でのガス交換（**内呼吸**）ができなくなり，苦しく感じる場合もある。

　内呼吸と外呼吸の状態は，◎ **表 3-6** に示す方法，または ◎ **表 3-7** に示す呼吸運動によって観察することができる。

● **正常な呼吸**

　健康な成人の場合，正常な呼吸は，1 回換気量が 500 mL 程度で，吸息（約 1 秒），呼息（約 1 秒），休止（2〜3 秒）を 1 セットとしたパターンが繰り返される。1 セットはおよそ 4〜5 秒で，1 分あたり 12〜15 回呼吸が行われる。

　呼吸数は年齢や性別によって差がある。一般に，発達段階が進むにしたがって呼吸数は減少する。しかし，高齢者は成人に比べて肺の伸縮性が低下し，1 回換気量が低下するために，成人より呼吸数がやや増加する。呼吸数は，運動や入浴，食事，精神的な状態，外気温など，状況や環境によって一時的に増減するので，安定した状態で測定する必要がある。また，個人差も大きいので，ふだんの呼吸数を知っておくことも大切である。

● **呼吸の異常**

異常呼吸●　正常なパターンがくずれた呼吸を**異常呼吸**という。呼吸の異常は，呼吸数や 1 回換気量，リズムの差などによって把握することができる（◎ 表 3-8, 9）。

呼吸困難●　ふだん苦痛に感じていない呼吸に，不快感や困難感を伴う状態を**呼吸困難**という。呼吸困難時には◎ 表 3-10 のような呼吸がみられる。呼吸困難には急性呼吸困難と慢性呼吸困難の 2 つがあり，突然あらわれる急性呼吸困難は重症であることが多く，緊急に対応する必要がある。

● **呼吸音の聴取**

　呼吸の状態を知るために，聴診器を用いる（◎ 図 3-3, 4）。聴診器を対象者の胸の前面と後面にあてて，吸息時と呼息時の呼吸の音を聴く。一般に聴診

○ 表3-8　1回換気量と呼吸数の異常（成人）

呼吸の種類とその型	1回換気量	呼吸数	おもな疾患など
正常呼吸	約500 mL	12〜15 回/分	
頻呼吸		24 回/分以上	心不全，発熱，興奮
徐呼吸		12 回/分以下	脳圧亢進，睡眠薬中毒
過呼吸	増加	基準範囲内	甲状腺機能亢進症，運動
減呼吸	減少		呼吸筋麻痺，睡眠薬中毒
多呼吸	増加	増加	神経症など
少呼吸	減少	減少	終末期
無呼吸	なし	なし	睡眠時無呼吸症候群

○ 表3-9　呼吸リズムの異常

呼吸の種類	リズムの型	リズム	おもな疾患
正常呼吸		同じ深さで同じリズムの呼吸を繰り返す。	
クスマウル呼吸		異常に深く大きな呼吸が持続する。	糖尿病性代謝異常（呼気アセトン臭あり）
チェーン-ストークス呼吸		呼吸が徐々に大きくなってから，徐々に小さくなり，無呼吸になる。	脳出血，急性アルコール中毒
ビオー呼吸		周期性はなく不規則である。呼吸が急におこったり，無呼吸になったりする。	脳炎，頭蓋内圧亢進，髄膜炎

器の膜面側を用いて，対象者の皮膚にうっすらとあとが残る程度に押しあて，密着させるようにして使う。はじめて聴く呼吸音はとても小さく感じるので，対象者に軽く口を開けてもらい，深呼吸をしてもらうと聴きやすくなる。

　呼吸音の聴診部位と聴取順序を ○ 図3-5, 6 に示す。呼吸音の種類には，気管呼吸音，気管支肺胞呼吸音，肺胞呼吸音がある。気管に近いほど呼吸音

○ 表3-10　呼吸困難時の呼吸

鼻翼呼吸	鼻翼をリズムに合わせて動かし，努力して呼吸をする。
下顎呼吸	吸息時に大きく開口せず，下顎だけが動いて胸郭の動きが乏しい。死亡直前にみられることがある。
起座呼吸	座位や前屈位（座位から上半身を少し前に傾けた状態）で呼吸をする。心不全や肺うっ血，気管支喘息の発作時など，臥位では肺や心臓に血液がたまりやすくなり，呼吸が苦しくなる。これらの姿勢をとることで肺や心臓のうっ血が減り，呼吸しやすくなる。

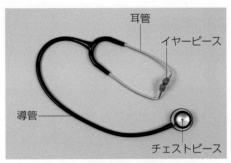

a．聴診器の構造

b．チェストピースの構造

○ 図3-3　聴診器の構造

a．聴診器をつけるときの向き

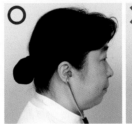

b．横から見たところ

○ 図3-4　聴診器のつけ方

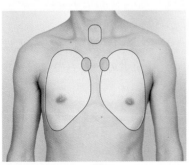

a．前面

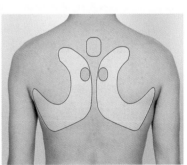

b．後面

○気管呼吸音
○気管支肺胞呼吸音
○肺胞呼吸音

○ 図3-5　呼吸音の聴診部位

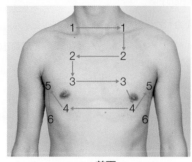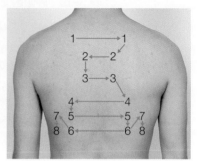

a. 前面　　　　　　　　　　b. 後面

◎ 図 3-6　呼吸音の聴取順序

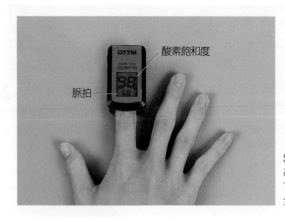

SpO$_2$ の基準値は 96% 以上であり，95% 以下は低酸素血症である。90% 未満では呼吸不全の状態である。

◎ 図 3-7　パルスオキシメーター

が大きく聴こえ，気管から遠くなるほど呼吸音は小さくなる。ここで重要なことは，肺の多くの部分から聴こえる音は肺胞呼吸音ということである。肺胞呼吸音は，吸息のときは聴こえるが，呼息のときは聴こえにくい。

●経皮的動脈血酸素飽和度（SpO$_2$）

経皮的動脈血酸素飽和度（SpO$_2$）は，内呼吸の状態を示す指標である。パルスオキシメーターを使って SpO$_2$ を測定することができる（◎図3-7）。SpO$_2$ の値はパーセント（%）で示される。

測定方法●　SpO$_2$ は指をパルスオキシメーターのセンサーにはさむだけで簡単に測定できる。侵襲性が低く，対象者の身体への負担が少ないので，病院や在宅でも多く用いられている。

留意点●　使用時に対象者がマニキュアをしていたり，パルスオキシメーターに表示されている「脈拍」の波形がしっかり見えなかったりするときは，SpO$_2$ が正確にはかれていないおそれがあることに留意する。

■呼吸の測定

必要物品

①秒針つきの時計またはストップウォッチ，②聴診器，③記録用紙，④筆記用具，⑤アルコール綿
【必要時】パルスオキシメーター
（留意点）すでに呼吸困難がある場合には，SpO_2 の測定や呼吸音の確認をすることも想定して必要物品を準備する。

事前準備

▶対象者が安静な状態であること，安楽な姿勢がとれていることを確認する。排泄やリハビリテーション，入浴などの直後で呼吸が乱れている場合には安楽な姿勢をとってもらい，呼吸状態が落ち着いてから測定を行う。
▶室温やプライバシーに配慮し，病室が寒くないかを確認する。
▶聴診や SpO_2 の測定を行うことについて説明し，同意を得る。

手順

▶**視診と問診**
1 胸郭や胸壁，腹部など，対象者の呼吸形式をふまえて観察部位を定め，1分間の呼吸数を数える。同時に，呼吸の深さとリズムを確認する。
（POINT）脈拍測定に続けて行うと，対象者に意識させずに測定できる。
▶**聴診**
2 呼吸運動（呼息・吸息）時の呼吸音を，頸部・前胸部・背部で聴取する。
（POINT）聴診を行う前に聴診器の膜面を看護師の手であたためておくことで，対象者の身体的・心理的負担を少なくできる。また，軽く口を開けて呼吸をしてもらうことで，呼吸音が聴取しやすくなる。
▶ SpO_2 **の測定**
3 呼吸困難がある場合や，酸素吸入を行っている対象者に対しては，パルスオキシメーターを用いて SpO_2 を測定する。測定部位は，手足の指先や耳朶（耳たぶ）である。

あとかたづけと記録・報告

1 対象者の体位と，環境を整える。
2 聴診器とパルスオキシメーターをアルコール綿で消毒する。
3 観察した呼吸状態を正確に記録し，医師あるいは看護師に報告する。記録では，呼吸はR（respiration）と示す。
記録例）R＝16回/分，本人の訴え：昨日からいままで息苦しさは感じなかった。
4 呼吸に異常がある場合には，すぐに医師あるいは看護師に報告する。

③ 脈拍

■脈拍の生理

脈拍とは，心臓の拍動，とくに左心室からの拍出によって生じた血液の圧波が，全身の動脈内に波動として伝わったものである。

　　　脈拍を増加させる因子としては，発熱や痛み，精神的緊張，興奮，運動，入浴，食事，嗜好品（飲酒・喫煙），便秘による排泄困難などがある。逆に脈拍を減少させる因子としては，心臓病治療薬のジギタリス製剤を服用している場合などがある。

　　　脈拍のリズムは心臓の拍動によって生じるため，心臓の拍動をおこすための電気刺激の伝導路である刺激伝導系（洞房結節→房室結節→ヒス束→プルキンエ線維）に異常があると不整脈を生じることになる。

■脈拍の観察

脈拍の触知● 　脈拍は，一般に，動脈が表在している（皮膚の表面に近い）部位に触れることで測定する（◎図3-8）。なかでも，身体的露出が少なくてすむ橈骨動脈で測定することが多い。原則として，脈拍の測定は，利き手の示指・中指・薬指の3指を用いて実施する。2指での測定では，測定者の指先の脈拍を測定してしまうことがあるため，確実に対象者の脈拍を触知するには，3指を使うほうがよい。以下，脈拍の触知で用いられやすい動脈を示す。

　　①**橈骨動脈**　手関節の母指に近い部分を走行している（◎図3-8-d）。身体のなかで手は露出していることが多く，動脈が体表面に近い位置にあるので最も脈拍測定に用いられやすい。

　　②**上腕動脈**　腋窩内側から肘関節までの動脈で，上腕の中央部では上腕二頭筋内側端，肘窩ではやや内側に脈拍を触知する（◎図3-8-b）。血圧測定時に用いられることが多い。

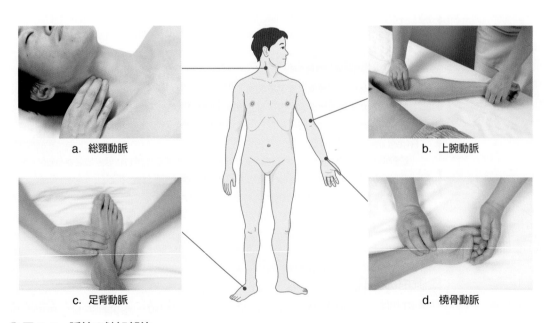

a. 総頸動脈

b. 上腕動脈

c. 足背動脈

d. 橈骨動脈

◎ 図3-8　脈拍の触知部位

③**総頸動脈** 甲状軟骨を触知して，その指を外側に滑らせ胸鎖乳突筋との間隙に動脈を触知する（⊃図3-8-a）。緊急時の場合には2指で実施する。脈拍の測定に用いられる，心臓に最も近い位置の動脈である。手足の動脈で触知できない場合に用いられる。

④**足背動脈** 母趾の伸筋腱（母趾を上に向けるときに使われる腱）のわずかに外側に触知する（⊃図3-8-c）。下肢の末梢動脈の閉塞がないか，静脈血栓などをおこしていないかどうかの判断や，上肢で脈が触知できない場合などに用いられる。

● **正常な脈拍**

脈拍数は，発熱や痛み，薬物，精神状態，外気温などのいろいろな条件によって変化する。健康者の安静時の脈拍数には幅があるが，成人では60〜80回/分程度とされる。一般的には発達段階が進むにしたがって減少する。

● **脈拍の異常**

脈拍の異常として，数，大きさ（脈圧），速さ，緊張度，規則性（リズム）の変化がある（⊃表3-11）。頻度としては，拍動が大きく触れる**大脈**がみられることが多い。血圧が高い場合には**硬脈**がみられ，動脈を指で圧迫しても脈の拍動を十分に触れることができる。このほか，脈拍のリズムが一定でない場合を**不整脈**，リズムは正しいが脈拍が抜ける場合を**脈拍欠損**とよぶ。

⊃ 表3-11 **脈拍の異常**

①数の異常	
頻脈	脈拍が100回/分以上。甲状腺機能亢進症，心不全，高熱時などにおこる。
徐脈	脈拍が50回/分以下。心疾患や脳障害，ジギタリス製剤の服用時などにおこる。
②大きさ（脈圧）の異常	
大脈	1回の心拍出量が多く，脈圧が大きい場合に拍動が大きく触れる。
小脈	1回の心拍出量が少なく，脈圧が小さい場合に拍動が小さく触れる。
③速さの異常	
速脈	脈拍が急に触れたかと思うとすぐに消失する。
遅脈	脈波が徐々に高まり，徐々に下降する。
④緊張度の異常	
硬脈	脈拍の緊張がかたく感じられる。
軟脈	脈拍の緊張がやわらかく感じられる。
⑤規則性（リズム）の異常	
不整脈	脈拍のリズムが不規則になる。期外収縮や心房細動などによって生じる。
脈拍欠損 （結代，欠滞）	規則正しい脈拍が途中で抜け落ちる。測定の際，1分間に何回抜けたか回数を確認する。

■脈拍の測定

留意点●　脈拍は生理的な条件や精神的な状況によって変動するので，対象者がリラックスしている状況で測定を行う。脈拍をはかっている間，対象者の腕に負担をかけないように看護師の手を添えるなど，安楽に行えるように配慮する。看護師の手が冷たい場合には，それが刺激になって脈拍が変化してしまうため，手をあたためてから測定を行う。

　また，パルスオキシメーターには脈拍数が表示されるが，直接，看護師が対象者の脈拍に触れて，大きさや緊張度の確認も行う。

必要物品

①秒針つきの時計またはストップウォッチ，②記録用紙，③筆記用具

事前準備

▶対象者が安静な状態であることと，安楽な姿勢がとれていることを確認する。排泄やリハビリテーション，入浴などの直後で脈拍が乱れている場合には，安楽な姿勢をとってもらい，脈拍が落ち着いてから測定を行う。

▶必要物品を持って対象者のもとに行き，測定することを説明して同意を得る。

手順

▶**触診**

1　基本的に橈骨動脈で測定する。その対象者の脈拍をはじめて測定する場合には，左右同時に1分間測定する。なお，脈拍の触知が弱い場合には，上腕動脈や頸動脈など，ほかの部位で測定してもよい。

▶**脈拍に関する問診**

2　最近かわったことや気がかりなことはないか，移動時や運動時，寝ているときなどに動悸や胸が苦しくなることはないかを確認する。

あとかたづけと記録・報告

1　対象者の体位や環境を整える。

2　観察した脈拍を正確に記録し，医師あるいは看護師に報告する。記録では，脈拍はP（pulse）と示す。

　　記入例）　P＝68回/分，脈拍は触知良好。リズム不整なし。

3　脈拍に異常がある場合には，すぐに医師あるいは看護師に報告する。

血圧

■血圧の生理

　血圧とは，心臓のポンプ作用により，動脈内に押し出された血液が血管内を通るときの圧力をさす。これは，心臓から押し出された血液の直圧と，血液が血管壁を押し広げる側圧の総和である。しかし，実際に血管の中の圧力をはかることはむずかしく，また，身体への負担が大きい。そのため臨床で

は，心臓とほぼ同じ高さにある上腕動脈の側圧を血圧として取り扱っている。

● 収縮期血圧と　血圧は，心臓の心室が収縮するときに最も血圧が高くなり（**収縮期血圧**〔最
拡張期血圧　高血圧〕），心室が拡張するときに最も血圧が低くなる（**拡張期血圧**〔最低血
圧〕）。収縮期血圧と拡張期血圧の差を**脈圧**という。

● 血圧に影響を　血圧は，①心拍出量，②末梢血管抵抗，③循環血液量，④血液の粘稠度，
及ぼす要因　⑤動脈壁の弾性の5つによって決まる。とくに①心拍出量と②末梢血管抵抗
は血圧に大きく影響する。心拍出量が増加すれば血圧は上がり，減少すれば
血圧は下がる。また，末梢血管抵抗が増加すれば血圧は上がり，減少すれば
血圧は下がる。⑤動脈壁の弾性は加齢により徐々に低下し，いわゆる動脈硬
化がおきるようになる。

　これはホメオスタシス（恒常性）を保つためであり，体内の環境がつねに
一定の状態になる方向へと調整されている。たとえば，心拍出量が低下して
血圧が下がれば，末梢血管をせばめて血管の抵抗を上げ，血圧を上げるよう
にはたらく。これは，収縮期血圧が 60 mmHg[1] 以下になると，全身に血液
が十分にいきわたらなくなり，危険な状態となるためである。このように，
自律神経系や血圧調節機構などのあらゆる機能を用いて血圧が維持されるよ
うにはたらいている。

■血圧の観察

　血圧はさまざまな因子によって変化する（◯ 表 3-12）。◯ 表 3-13 は日本高
血圧学会による血圧値の分類である。

◯ 表 3-12　血圧に変動を与える要因

体位	収縮期血圧は，仰臥位＞座位＞立位となる。
食事	食事直後では血圧は上がる。
運動	激しい運動は一時的に血圧を上げる。ただし，適度な運動は1日の血圧の平均値を下げることにつながる。
精神的興奮	精神的に緊張・興奮した場合，血圧は上昇する。
飲酒・喫煙	アルコールには血管拡張作用があり，一時的に血圧を低下させるが，長期・大量の摂取は高血圧症の原因となる。喫煙は血圧を上げる。
気温	暑い場所では血圧は下がり，寒い場所では血圧は上昇する。
入浴	熱い湯では血圧は上がり，ぬるめの湯では血圧は下がる。
年齢	加齢によって動脈硬化が進み，血圧は高くなる。

1）血圧の単位には mmHg が用いられる。1 mmHg は高さ 1 mm の水銀柱がもたらす圧力であ
り，1 気圧＝760 mmHg＝101,325 Pa である。

◯ 表 3-13　成人における血圧値の分類

分類	診察室血圧(mmHg)			家庭血圧(mmHg)		
	収縮期血圧		拡張期血圧	収縮期血圧		拡張期血圧
正常血圧	＜120	かつ	＜80	＜115	かつ	＜75
正常高値血圧	120〜129	かつ	＜80	115〜124	かつ	＜75
高値血圧	130〜139	かつ/または	80〜89	125〜134	かつ/または	75〜84
Ⅰ度高血圧	140〜159	かつ/または	90〜99	135〜144	かつ/または	85〜89
Ⅱ度高血圧	160〜179	かつ/または	100〜109	145〜159	かつ/または	90〜99
Ⅲ度高血圧	≧180	かつ/または	≧110	≧160	かつ/または	≧100
(孤立性)収縮期高血圧	≧140	かつ	＜90	≧135	かつ	＜85

(日本高血圧学会高血圧治療ガイドライン作成委員会編：高血圧治療ガイドライン 2019. p.18, 日本高血圧学会, 2019 による)

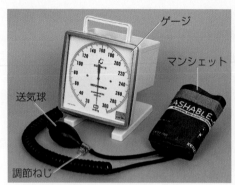

a. アネロイド型血圧計(卓上型)

b. 水銀レス血圧計
(卓上型)

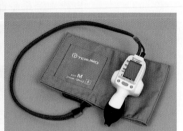

c. 手動電子血圧計

◯ 図 3-9　血圧計の種類

■血圧の測定方法と血圧計

　血圧の測定方法には，血管の中にカテーテルを直接入れて実際の血液の圧力を測定する**直接法**(観血法)と，上腕動脈などの末梢の動脈を身体の外から圧迫して，血管の壁面にあたる血液の圧力を測定する**間接法**(非観血法)の2つがある。病院や在宅での血圧測定で多く用いられているのは，身体を傷つけずに測定できる間接法である。ここでは，間接法による血圧測定について学習する。

●血圧計

血圧計の種類●　血圧計には，アネロイド型血圧計や水銀レス血圧計，手動電子血圧計，自動電子血圧計などの種類がある(◯図3-9)。現在，水銀の使用・廃棄による環境への影響が問題となっており，水銀柱式血圧計は使われなくなっている。そのため，アネロイド型血圧計や電子血圧計が臨床現場で用いられるように

○ 表3-14　発達段階別のマンシェット幅の目安

発達段階	乳児	幼児	学童	成人
マンシェット幅	2.5 cm	5〜6 cm	8〜9 cm	12〜14 cm

なっている。

血圧計の構造●　血圧計は，**ゴム嚢**とよばれる動脈を圧迫するための空気を入れるゴムの袋と，その袋を身体に巻きつけるために用いる帯状の**マンシェット**，ゴム嚢に空気を送るための**送気球**，ゴム嚢の空気を出し入れするときに使用する**調節ねじ**からなっている。アネロイド型血圧計では**ゲージ**に圧力が示される。水銀レス血圧計では，液晶画面に水銀柱のイメージが表示される。

マンシェットの●
選択　心臓の高さとほぼ同じとされている上腕動脈の血圧をはかるためには，マンシェットは上腕の2/3をおおう幅で，上腕を1周してしっかりととめられる長さのものが適切とされている。年齢や体格によって上腕の大きさや太さに違いがあるので，対象者に合ったマンシェットを選ぶ必要がある（○**表3-14**）。日本産業規格（JIS）では，血圧計のマンシェット内のゴム嚢は13 cm幅で22〜24 cmの長さとされている。

マンシェットの幅が狭い場合，上腕動脈の血流をとめるために強い圧力をかける必要があるため，血圧は通常より高く測定される。逆に幅が広すぎる場合は，低く測定されることになる。

●血圧測定法（間接法）の種類

①**触診法**　対象者の橈骨動脈を触知して，収縮期血圧を確認する方法である。血圧をはじめて測定するときに，対象者がふだんの血圧を伝えられない場合や，次に述べる聴診法を行っても収縮期血圧が低すぎてわからない場合に実施する。なお，触診法では，収縮期血圧をはかることはできるが，拡張

Column

さまざまな血圧計

　非侵襲的に測定をする血圧計には，聴診法で用いるリバロッチ法のもの（アネロイド型血圧計・水銀レス血圧計）と，マンシェット圧を感知して測定するオシロメトリック法のもの（電子血圧計）がある。近年，水銀の管理については国際的に問題となっており，水銀柱式血圧計は2020年までに製造，輸出，輸入が原則禁止されている。一方，アネロイド型血圧計は水銀とかわらない測定精度をもち，軽量化や耐衝撃性などの研究・開発が進んでいる。ちなみにアネロイドとはギリシャ語で「液体を使わない」という意味である。

　多忙な医療現場では，自動電子血圧計による測定が増えているが，一般に自動電子血圧計はマンシェット圧を高くしすぎてしまう傾向にあり，血圧が高めに測定される。また，不整脈などがある患者や急変などで血圧が著しく低下した患者では測定できない場合もあり，聴診法を身につけておく必要がある。

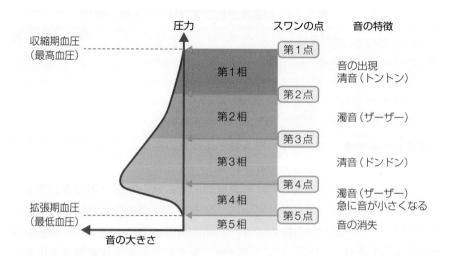

○ 図3-10　コロトコフ音

期血圧をはかることはできない。

　②**聴診法**　聴診器を用いて測定する方法である。上腕動脈などの動脈をマンシェットで圧迫しつづけると，ある一定以上の圧がかかったところでその部位の血流が一時的にとまる。徐々に圧を下げていくと，動脈内で乱流が生じ，聴診器で聴きとれる音を発生させる。この音を**コロトコフ音**という。

　コロトコフ音は，聴きはじめに「ドンッ」と鳴り（スワンの第1点），この血圧の値が収縮期血圧（最高血圧）となる（○図3-10）。徐々に圧を下げていくと「トントン」「ザーザー」「ドンドン」「ザーザー」と音の質と大きさが変化し，最終的に音が聴こえなくなる。音が聴こえなくなった時点（スワンの第5点）の血圧の値が拡張期血圧（最低血圧）となる。

■血圧の測定

留意点●（1）血圧の左右差を考慮し，前回の測定時など，比較する血圧を測定したときと同じ側で測定を行う。
　　　（2）麻痺（まひ）や創傷がある場合は，健側で測定する。麻痺側は末梢の循環がわるく循環血液量が少なくなるため，健側よりも血圧が低く測定される可能性がある。
　　　（3）ふだんの血圧よりも，異常に高いあるいは異常に低い場合には，早急に医師あるいは看護師に報告する。

必要物品

①アネロイド型血圧計，②聴診器，③記録用紙，④筆記用具，⑤アルコール綿

▶ 対象者の前日までの血圧の状況を確認し，血圧の数値や測定した部位，体位などの情報を集めておく。

理由・根拠 血圧がどのように変化しているのかを知るためには，条件を整えて測定する必要がある。

▶ 血圧計と聴診器を，ベッドサイドに行く前に点検しておく。

▶ 対象者が安静な状態であることと，らくな姿勢がとれていることを確認する。移動や食事，排泄，入浴などの直後の場合には，安静にして状態が落ち着いてから測定を行う。

▶ 必要物品を持って対象者のもとに行き，測定することを説明して了承を得る。

手順

▶ **測定の準備**

1 ふだん血圧測定している体位になってもらう。対象者の上腕が心臓の高さになるように体位を整える。とくに指定がなく，呼吸苦がなければ，仰臥位で血圧測定を行う。

理由・根拠 仰臥位は血圧が最も高く測定される体位であるため。

留意点 座位で行う場合には，上腕が心臓と同じ高さになるように体位を整える。必要時，オーバーベッドテーブルなどを使う。

2 対象者の寝衣の袖を肩の近くまで巻き上げる。

留意点 厚着をしている場合は，対象者が寒けを感じないように配慮しながら上着を脱いでもらう。寝衣が薄手の生地であれば，寝衣の上から血圧測定を実施することも可能である。

POINT 対象者に許可を得て，血圧計をベッドや床頭台，オーバーベッドテーブルなどに置かせてもらう。配置後，必要に応じて電源を入れる。

3 マンシェットのゴム嚢に空気が入っていないことを確認する。空気が入っている場合には，送気球の調節ねじを開けて空気を出しきる。空気を出し終わったら調節ねじを閉める。

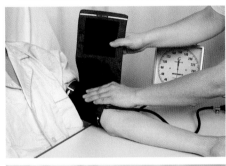

▶ **血圧計の装着**

4 対象者の上腕にマンシェットを巻く。

　　1）ゴム嚢の中心が測定する上腕動脈の真上にくるように，肘から 2〜3 cm 離れたところにマンシェットを置く。

　　理由・根拠 上腕動脈を均一に圧迫し，聴診器や指をあてるスペースを確保するため。

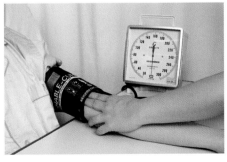

　　2）片方の手でゴム嚢を固定して，上腕に平均的に圧がかかるように，もう一方の手でマンシェットを上腕にあわせて巻きつける。

　　POINT 巻きぐあいは，対象者の上腕とマンシェットの間に 2 本の指がどうにか入る程度が適切である。

5 送気球の調節ねじが閉じていることを確かめる。

6 触診法または聴診法で血圧を測定する。

・**触診法**

　　はじめて測定するときは触診法で収縮期血圧（最高血圧）を測定し，その血圧値をもとに聴診法で収縮期血圧と拡張期血圧（最低血圧）を測定する。定期的な通院などで前回の測定値がわかる場合は，聴診法から始めてもよい。

1) 対象者の橈骨動脈に指をあて，脈拍が触れなくなるまでゴム嚢に空気を入れる。脈拍が触れなくなってからさらに20mmHg程度，圧が上がるまで空気を入れる。
2) 血圧計の目盛りを見ながら，送気球の調節ねじを徐々にゆるめてゴム嚢の空気を抜く。
3) 脈拍が触れはじめた目盛りを読み，収縮期血圧とする。
　POINT　1拍動につき2mmHg程度の速さで減圧する。
4) 送気球の調節ねじを全開にして，ゴム嚢の中の空気をすべて抜く。

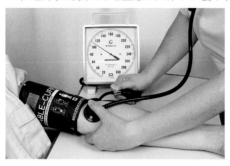

・聴診法
1) 対象者の肘窩部のやや内側にある上腕動脈の脈拍を確認する。
2) 脈拍を確認したら肘窩部をしっかりのばし，その部位に利き手と反対の手で聴診器の膜面をしっかりあてて固定する。
3) 送気球で空気を入れる。触診法で測定した（あるいは以前に測定した）収縮期血圧よりも20mmHg程度，圧が上がるようにする。

4) 血圧計の目盛りを見ながら，利き手を用いて送気球の調節ねじを徐々にゆるめてゴム嚢の空気を抜く。
　POINT　1拍動につき2mmHg程度の速さで減圧する。
5) 最初の音が聴こえた時点（スワンの第1点）の血圧値を読み，収縮期血圧とする。
6) さらに徐々に空気を抜き，コロトコフ音が聴こえなくなった時点（スワンの第5点）の音を拡張期血圧とする。
7) 送気球の調節ねじを全開にして，ゴム嚢の空気をすべて抜く。
7　測定値をメモする。聴診法の場合，目盛りを偶数値で読み，中間の場合は低い値を読む。
8　対象者の上腕からマンシェットを取り除く。
9　対象者の寝衣の袖を下げ，測定が終了したことを伝える。

あとかたづけと記録・報告

1　対象者の体位や環境を整える。
2　血圧計や聴診器などをアルコール綿でふき，かたづける。
3　測定した血圧値を正確に記録・報告する。測定時刻，測定体位，測定部位，測定値および観察事項を記録する。記録では，血圧はBP（blood pressure）と示す。
　記入例）　14：00　仰臥位　右腕　触診法　BP＝130mmHg　胸痛，気分不快なし
　　　　　　14：00　仰臥位　右腕　BP＝130/68mmHg　胸痛，気分不快なし
4　血圧に異常がある場合には，すぐに医師あるいは看護師に報告する。

応用▶　聴診法での測定では，コロトコフ音が最後まで消失しない場合がある。その場合，コロトコフ音が急に小さくなった点（スワンの第4点）の音を拡張期血圧として，0まで聞こえたことを記録する。
　記録例）　BP＝130/90～0mmHg（音が消失しないとき）
　　　　　　BP＝130/0mmHg（拡張期血圧不明で音が消失しないとき）

⑤ 体温

■体温の生理

体温の調節● 　ヒトは恒温動物（つねに体温が一定の動物）であり，外気温が変化するなかでも，体温をほぼ一定に保つことができる。ヒトの体温は，視床下部にある

蒸発

放射(輻射)

伝導

基礎代謝

活動・運動

体熱は基礎代謝や活動・運動などによって産生される。汗などの蒸発や伝導，
放射(輻射)によって放散される。

● 図 3-11　体熱の産生と放散

　体温調節中枢によってセットポイント(設定温度)が定められている。体温
調節には，外気の温度と体内の血液の温度の両方における変化が関係してい
る。そして，からだの中で熱をつくる熱産生と，からだの外に熱が放出され
る熱放散のバランスが保たれることによって，体温が一定になるように調節
されている(● 図 3-11)。

　体温としては，心臓から出たばかりの大動脈中の血液の温度を測定するこ
とが最も正確ではあるが，実際にその温度をはかるのは身体への負担が大き
い。そのため，なるべく近い温度で，負担が少なく測定できる数値として，
腋窩温や口腔温，直腸温，鼓膜温を体温として取り扱っている。

■体温の観察

　体温はさまざまな因子の影響を受ける(● 表 3-15)。また，個人によって相
当なばらつきがあるため，ふだんの体温(平熱)がどの程度なのかを理解して
おくことが重要になる。

発熱の分類　平常時の体温より 1℃ 以上高くなった場合を発熱といい，①微熱(37.0℃
以上 38.0℃ 未満)，②中等熱(38.0℃ 以上 39.0℃ 未満)，③高熱(39.0℃ 以上)
に分類される。

発熱の原因　発熱のおもな原因には以下のようなものがある。

(1) 感染症：細菌やウイルスなどの感染による。

(2) 悪性腫瘍：消化器系腫瘍やリンパ腫などでみられる。

(3) 自己免疫疾患・アレルギー性疾患：関節リウマチなどでみられる。

(4) 薬物・輸血の副作用：入院患者の発熱の 10〜20% は薬剤熱といわれる。

(5) 中枢性発熱：脳出血や脳腫瘍などにより，体温調節中枢が圧迫されるた
　　めに生じる。

○ 表 3-15　体温に影響を及ぼす因子

日内変動	安静に臥床していても 1 日のなかで周期的に変動する。午前 2〜6 時に低下し，午後 3〜8 時に高くなる。
季節的変動	外気温による影響をわずかに受ける。5 月〜9 月はやや高く，11 月〜4 月はわずかに低い。
年齢	新生児期は気温の影響を受けやすく，幼児期は成人に比べてわずかに高い。高齢者は代謝が下がるため低くなる。
個人差	一般に副交感神経の緊張が強い人は体温が低く，交感神経の緊張が強い人は高い。
月経周期	月経のある女性の場合は月経周期に伴い体温変動がある。排卵後の黄体期には体温がやや上昇する。
食事	食後 30〜60 分は，消化・吸収のために少し体温が上がる。逆に飢餓状態では代謝が下がるので低くなる。
運動	運動によって代謝が亢進して体温は高くなる。とくに暑い日などの外気温が高い環境で運動をすると高くなりやすい。
入浴	入浴中は体温が上昇し，入浴後徐々に低下する。
飲酒	飲酒時は体温が上昇し，その後徐々に低下する。
精神的興奮	激しい精神的な興奮は，アドレナリンの作用により体温を上昇させる。
その他	猛暑日など，暑熱環境に長時間いると身体の適応障害によって体温が上がり，熱中症がおこりやすくなる。安静・睡眠中や厳寒のときには低下する。

○ 表 3-16　代表的な熱型

熱型	稽留熱	弛張熱	間欠熱	波状熱	分利	渙散
定義	高熱で日内差が 1℃ 以内。	日内差が 1℃ 以上で平熱にならない。	日内差が 1℃ 以上で，高熱と平熱が交互にあらわれる。	有熱期と無熱期を不規則に繰り返す。	高熱が数時間〜半日で急激に低下し，平熱に戻る。	高熱が徐々に低下し，数日で平熱に戻る。
疾患	肺炎，腸チフス	敗血症，結核，化膿性疾患	マラリア，回帰熱	ホジキンリンパ腫，ブルセラ症		

●発熱のパターン（熱型）

　体温の変化は，疾患によって特徴的なパターン（熱型）を示すことがある（○ 表 3-16）。平熱と現在の体温を比較するだけではなく，発熱にパターンがあるのかどうかも観察することが必要になる。

　ただし，解熱薬を投与されていると，特徴的な熱型があらわれないこともあるので注意する。

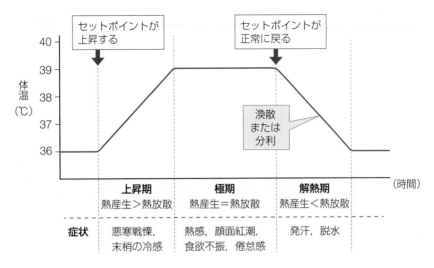

図3-12

◯ 図 3-12 　典型的な発熱の経過と症状

典型的な発熱の●　典型的な発熱の経過と症状を◯図 3-12 にまとめた。
　経過と対応　　①上昇期　さまざまな原因によって体温のセットポイントが 39℃ におき
かえられると，体温調節中枢がただちに反応して身体からの熱放散を減少さ
せ，体温を上昇させようとする。対象者の自覚症状として，悪寒戦慄（ぞく
ぞくする寒けとふるえ）が生じる。この時期には，セットポイントと体温が
同じになるように対象者の保温に努める。
　②極期　体温がセットポイントに達すると，体熱の産生と放散は平衡状
態となる。悪寒は消えるが，顔が赤くなったり（顔面紅潮），食欲不振や倦
怠感が増す。この時期には対象者の体力を温存し，食べやすいものを提供す
るように努める。
　③解熱期　セットポイントが正常に戻ると，体温調節中枢が熱放散を促し，
大量の発汗や不感蒸泄の増加によって解熱する。このため，脱水症状をお
こしやすい。解熱期には必要に応じて水分摂取を促しながら，発汗に対して
は随時からだをふいたり，着がえをするなどして保清に努める。

■体温の測定

体温計の種類●　体温の実測値を求めるためには，実際の測定値を表示する直示式の体温
計を用いて 5～10 分間測定する必要がある。現在，直示式の体温計である水
銀体温計は，環境への影響を考慮して使用されなくなってきており，かわり
に予測式の電子体温計などが多く用いられている（◯図 3-13）。予測式の体温
計は体温を予測して表示する仕組みがそなわっており，電子体温計は約 1 分
の短時間で体温を測定できる。
　電子体温計は機種によって機能が違うので，取扱説明書をよく読み，どの

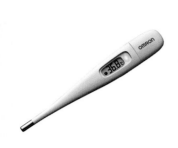

a. 電子体温計

b. 耳式体温計

c. 非接触型体温計

（写真提供：オムロン ヘルスケア株式会社）

◯ 図 3-13　体温計

ようなときに使用できるものなのか，測定時にはなにに気をつけなければい
けないのかを十分に理解したうえで使用する。

測定部位● 　体温のおもな測定部位は腋窩・口腔・直腸・鼓膜である。それぞれの測定
時には，腕と体幹をぴったりとつけたり，しっかり口を閉じたり，体温計を
直腸内にきちんと挿入したりする必要がある。

　鼓膜温は本体のプローブを耳の孔に挿入して，鼓膜とその周辺から出てい
る赤外線をセンサーで検出して測定する。鼓膜の温度は外気温などの影響を
受けにくいため，体内の深部の安定した体温（中核温）に近いといわれている。
温度としては，一般に，腋窩温＜口腔温＜鼓膜温≒直腸温の関係にある。

留意点● 　測定時は，次の点に留意する。

(1) 測定時刻と測定部位を一定にして測定し，測定した体温をふだんの体温
（平熱）と比較して観察を進める。

(2) 食事・入浴の直後や運動直後など，体温に影響する因子がある場合には，
30 分程度安静にし，体温が安定してから測定する。

(3) 体温の急激な上昇や低下がみられた場合は，その旨を早急に医師やほか
の看護師に報告し，その後の対応を考える。

(4) 耳式体温計の検温は，耳に挿入する向き・深さなどの条件により，測定
値にばらつきが生じやすいため，そのような条件を一定にして行う。

(5) 非接触型体温計は皮膚から放射される赤外線で体温を計測しているため，
測定時の気温や直射日光などの外部環境の影響を受けやすい。また，セ
ンサー部分を触れたり，傷つけたりしないように取り扱う。

必要物品

①測定部位に合わせた電子体温計，②記録用紙，③筆記用具，④消毒用アルコール綿または
ティッシュペーパーと消毒液

▎【腋窩検温時】タオル（汗ふき用）【直腸検温時】ディスポーザブル手袋，バスタオルなど

事前準備

▶ 対象者の平熱と体温の変化，どの部位で測定するかなどの情報を集める。下痢や便秘，肛門の術後，肛門周囲に炎症がある場合などは，直腸以外での測定を検討する。

▶ 使用する体温計の点検を行う。

▶ 食事や入浴，運動などの直後ではないかを確認し，必要時30分程度安静にしてもらってから体温を測定する。

▶ 必要物品を持って対象者のもとに行き，測定することを説明して了承を得る。

▶ 環境を調整する。室温を調節し，身体の露出は最小限にし，必要な場合はカーテンを引くなどしてプライバシーに配慮する。

▶ 非接触型体温計の場合は，製品によって測定部位と体温計の距離・向きに違いがある。そのため，取扱説明書にて測定モード，測定部位とその距離を確認しておく。屋外の場合は直射日光を避け，寒暖差のある環境の場合には，15分程度安静にしてもらって体温がなじんでから測定する。

手順

▶ **腋窩検温**

1 発汗がみられる場合にはタオルで腋窩をふく。腋窩を摩擦しないように気をつけながら汗をふきとる。

　理由・根拠 汗が蒸発すると温度が低下して正確に測定できないため。

2 対象者の腋窩に体温計を挿入する（● 図 3-14-a）。対象者の前面下方から後面上方に向かって挿入し，体温計と前頭面との角度は30〜45度を目安とする。

　POINT 対象者に協力を得ることが可能であれば，体温計を挿入していない側の手で測定側のわきをしっかりつけるように腕を押さえてもらう（● 図 3-14-a）。対象者に麻痺があったり，やせている場合には，体温計がしっかり挿入されているかを確認し，きちんと押さえられるように介助する。

3 測定完了を知らせるアラームが鳴ったら取り出す。

4 電子体温計の温度表示を確認し，適宜メモをとる。

▶ **口腔検温**

1 熱いものや冷たいものを飲食した直後ではないことを確認する。

　留意点 飲食していた場合にはしばらく間をおく。

2 体温計を舌下の中央部に斜めに挿入する（● 図 3-14-b）。

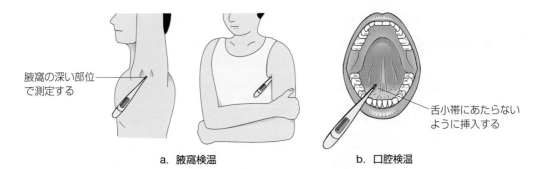

腋窩の深い部位で測定する

舌小帯にあたらないように挿入する

a．腋窩検温　　　　b．口腔検温

● 図 3-14　**体温の測定**

POINT　挿入時は終始口を閉じているように対象者に伝える。

③　測定完了を知らせるアラームが鳴ったら取り出す。

④　電子体温計の温度表示を確認し，適宜メモをとる。

▶**直腸検温**

①　プライバシーに配慮しながら，体温計を挿入しやすい体位をとってもらう。

②　手袋を装着する。

③　挿入時に肛門に力が入らないように，口で呼吸をするように説明する。体温計を挿入するときは直腸の走行に沿って 5〜6 cm（乳幼児は 2.5〜3.0 cm）挿入する。

④　測定完了を知らせるアラームが鳴ったら取り出す。

⑤　電子体温計の温度表示を確認し，適宜メモをとる。

▶**鼓膜検温**

①　対象者に頭を動かさないように説明し，耳式体温計のプローブに感染防止のためのカバーをつける。

②　体温計のセンサーが鼓膜からの赤外線をまっすぐとらえられるように，耳介を引っぱり，外耳道を一直線にして，体温計のスイッチを押す。

③　測定は 2 回実施し，高いほうを体温とする。適宜メモをとる。

理由・根拠　挿入する角度によって数値にばらつきが出やすいため。

▶**非接触型体温計による検温**

①　体温計の電源を入れる。体温測定の「測定モード」を選択する。

②　測定部位に，体温計を指定された距離と向きに合わせる。体温計の測定スイッチを押す。

③　体温が表示されたら，適宜メモをとる。

あとかたづけと記録・報告

①　対象者の体位や環境を整える。

②　使用した電子体温計を消毒用アルコール綿でふく。口腔や直腸に用いた場合は，体液などをティッシュペーパーでふきとってから消毒を行う。非接触型体温計のセンサー部分がよごれたときは，アルコール綿などで軽くふきとる。

③　電子体温計の電源を切る，またはケースにしまう。

④　測定した体温を正確に記録し，医師あるいは看護師に報告する。測定時刻，測定部位，測定値および観察事項を記録する。体温は BT（body temperature）または T と示す。

　　　記入例）　14：00　腋窩温　T＝36.0℃
　　　　　　　　　　　　口腔温　T＝36.5℃
　　　　　　　　　　　　直腸温　T＝36.8℃

⑤　体温に異常がある場合には，すぐに医師あるいは看護師に報告する。

⑤　身体の測定

①　身体測定の意義と看護

身体測定の意義●　身体測定はヘルスアセスメントに含まれる内容である。計測には，身長や腹囲などの形態（外形）をはかるものと，握力や肺活量などの身体の機能（はたらき）をはかるものがある。成長・発達がどの程度であるのか，栄養状態はよいか，生活習慣病はないかといった成長・発達状況の把握や，生活習慣

病の予防，病気の早期発見などのために行われる。また，身体の計測を継続的に行うことで，以前の状態と比較することができる。

　薬物療法が行われる場合には，投与量を決めるために身長と体重をはかる必要がある。そのため，入院時に看護師が身長と体重を測定する機会は多い。加えて，現在では病院内での栄養管理上，身長と体重をもとに計算されるBMI（body mass index）が重要視されている。

身体測定時の●　体重測定などは一般的な日常生活でも行われており，必ずしも医師の指示
**　　看護**　は必要としない。しかし，身体測定は診療の過程に含まれる重要な技術である。したがって，身長や腹囲などを正確に測定する方法を知らなければ，測定ごとに値がかわってしまい，以前の状態と比較することができなくなってしまう。よって，看護師は正しい測定方法と測定機器の正しい使用方法を理解しておく必要がある。

② 身体測定の原則

　身体測定を行うとき，看護師は，次の３点に留意する必要がある。

　①**条件をそろえて測定する**　測定は，同じ時刻に，できる限り同じような服装で行うことが望ましい。これに加えて，食事や排泄，運動などの影響を受けていない状況で毎回測定する必要がある。条件をそろえるうえで，測定に用いる機器が使用可能な状況にあることを事前に確認しておく。

　②**対象者の安全と安楽を保つ**　対象者が安楽を保てるように室温を調節する。また，測定項目ごとに測定の手順を対象者に説明し，協力してもらいながら行う。測定に必要な姿勢がとれない場合や，ふらついている場合には，対象者に合った測定機器を選択したり，対象者のそばに寄り添いながら測定を行うなど，安全・安楽に測定できるように配慮する。

　③**対象者のプライバシーをまもる**　身体の一部を露出する胸囲や腹囲などの測定では，露出時間が長くならないように手ぎわよく，かつ正確に行う。また，測定値については，周囲の人々に見られたり知られたりしないように機器を配置し，値を伝えるときには紙に書いたり，周囲に聞こえないように声を小さくしたりするなど，対象者に伝える方法にも配慮する。

③ 身体各部の測定

　身体各部の測定のうち，ここでは看護の場面で一般に行われている身長，体重，胸囲，腹囲，握力，肺活量の測定方法について学ぶ。

■身長の測定
　身長測定では，スタンダード身長計またはデジタル式身長計がおもに用いられ，乳幼児の場合には，仰臥位式乳幼児用身長計が用いられている（○図3-15）。健康診断などでは，身長と体重が同時に測定できるデジタル機器も

a. スタンダード身長計

b. 乳幼児用身長計

◯ **図3-15　身長計**

使用されている。

必要物品

● 身長計

事前準備

▶ デジタル身長計は電源を入れ，適切に作動することを確認する。
▶ 横規を対象者の身長よりも上にあげておく。

手順

1 はき物を脱いでもらう。靴下が厚手の場合は靴下も脱いでもらう。
2 身長計の台の上に乗ってもらう。段差に注意して，必要に応じて介助しながら行う。
3 足先を30〜40度開いた状態で，踵 ・殿部・背部・後頭部が尺柱につくように立ってもらう（◯ 図3-16）。
4 まっすぐ前を見てもらい，少し顎を引いてもらう。耳眼水平位（眼窩下縁と外耳孔上縁が水平になる位置）になっているか，確認する（◯ 図3-16）。
5 横規を対象者の頭上に静かに下ろす。
6 計測された値を読む。
　1) **スタンダード身長計の場合**：看護師の目が身長計の目盛りと水平になるようにして値を読む。
　2) **デジタル式身長計の場合**：デジタル表示された値を読む。
7 測定値をcm単位で小数点以下第1位まで記録する。
8 横規を静かに上げて，測定が終了したことを対象者に伝える。身長計の台から安全に下りて，はき物をはいてもらう。
9 電源を使用している場合には電源を切る。

■体重の測定

体重計は，現在，おもにデジタル式が用いられている（◯ 図3-17）。このほ

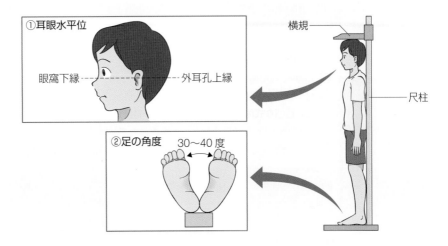

○ 図 3-16　身長測定時の姿勢

a. デジタル式体重計

b. 乳幼児用体重計

○ 図 3-17　体重計

　か，目盛り式体重計や手すりつき体重計，車椅子体重計，ベッド上に寝た状態で体重測定可能なベッドスケールなどのさまざまな体重計がある。

　体重は栄養状態の把握だけではなく，治療効果を測定する場合などの多くの場面で用いられる。ただし，食事や排泄，着衣などの影響を受けるため，できるだけ同一条件で測定するように配慮しなければならない。

必要物品

● 体重計（対象者の状況に合った体重計を選択する）

事前準備

▶ 軽装でも寒く感じないように室温を調整する。
▶ デジタル式体重計は電源を入れる。目盛り式体重計の場合，体重計の指針が 0 になっていることを確認する。

> **手順**
>
> 1　はき物を脱いでもらい，体重計の中央に静かに立ってもらう。体重計に足形があれば，その足形に沿うように足を置く。
> 2　計測された値を読む。
>   1）**デジタル式体重計の場合**：デジタル表示された値を読む。
>   2）**目盛り式体重計の場合**：体重計の指針がとまった位置の目盛りを読む。
> 3　測定値を kg 単位で小数点以下第1位まで記録する。
> 4　測定が終了したことを対象者に伝える。体重計から安全に下りて，はき物をはいてもらう。
> 5　電源を使用している場合には電源を切る。

■胸囲の測定

　胸囲や腹囲の測定には，おもにビニール製の巻尺が使用されている。温度や湿度，測定者が巻尺を引っぱる力により誤差が生じるので，その点に留意して使用する。

> **必要物品**
>
> ①ビニール製の巻尺，②バスタオル，③消毒用アルコール綿
>
> **事前準備**
>
> ▶巻尺の目盛りがのびていないことを確認する。
> ▶測定者の手をあたためておく。
> ▶胸部を露出するため，プライバシーに配慮してカーテンやスクリーンを準備する。
>
> **手順**
>
> 1　対象者に説明をして，上半身の衣服を脱いでもらう。
> 2　肩からバスタオルをかける。
> 3　対象者に立位になってもらう。両腕を自然に垂らした状態で，巻尺を腋下から背部にまわす。
> 4　巻尺を左右の肩甲骨下角の真下にあて，水平になるように胸周囲にまわす（○図 3-18）。
> 5　ふつうに呼吸してもらい，息を吐きおえたときの目盛りを読み，記録する。なお，目盛りの読み方には呼息と吸息の中間で読む方法もある。
> 6　測定値を cm 単位で小数点以下第1位まで記録する。
> 7　測定が終了したことを対象者に伝え，衣服を着てもらう。
>
> **あとかたづけ**
>
> 1　巻尺を消毒用アルコール綿でふいて，かたづける。
> 2　カーテンやスクリーンを外す。

■腹囲の測定

　腹囲の計測は，①仰臥位で膝をのばしたときの臍の周囲をはかる場合と，

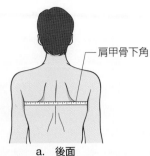
a．後面
肩甲骨下角の直下に
合わせる。

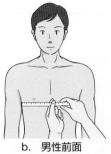
b．男性前面
乳頭の位置に合わせる。

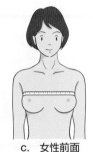
c．女性前面
乳房が膨隆している場合，
乳房上部に合わせる。

⟩ **図 3-18　胸囲測定の位置**

②メタボリックシンドローム（内臓脂肪症候群）の診断のために立位で臍の周囲をはかる場合がある。②の場合は，男性は 85 cm 以上，女性 90 cm 以上が要注意とされている。ここでは，①の場合を説明する。

必要物品

①ビニール製の巻尺，②バスタオル，③消毒用アルコール綿

事前準備

▶巻尺の目盛りがのびていないことを確認する。
▶測定者の手をあたためておく。
▶腹部を露出しても恥ずかしくないようにカーテンやスクリーンを準備する。

手順

1　対象者に説明をして，膝をのばした仰臥位をとる。腹部が露出するように衣服をずらしてもらう。
2　巻尺を腰の下に通して，臍の位置で床面と垂直になるように腹周囲にまわす。
　留意点　最大腹囲の測定は，腹周囲が最も大きくなる位置で測定する。経過観察を行う場合，臍を基準に上下何 cm といったように測定位置（距離）を決めておく。
3　ふつうに呼吸してもらい，呼息終了時の目盛りを読み，記録する。なお，目盛りの読み方には呼息と吸息の中間で読む方法もある。
4　測定値を cm 単位で小数点以下第 1 位まで記録する。
5　測定が終了したことを対象者に伝え，衣服を整える。

あとかたづけ

1　巻尺を消毒用アルコール綿でふいて，かたづける。
2　カーテンやスクリーンを外す。

■握力の測定

　握力計には，スメドレー式握力計やコラン式握力計などの種類があり，指

（写真提供：竹井機器工業株式会社）

◯ **図 3-19　デジタル握力計（スメドレー式）**

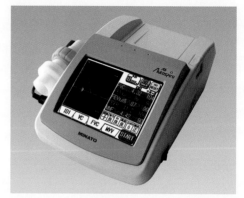

（写真提供：ミナト医科学株式会社）

◯ **図 3-20　スパイロメータ**

針が動くアナログ表示のものとデジタル表示のものがある（◯図 3-19）。種類によって測定値に多少の差があるので，毎回同じ種類の握力計を用いる。必要時，使用した握力計の種類を記載する。

必要物品

- 握力計

手順

1. 対象者に測定の目的を伝え，測定方法を説明する。
2. 立位で両足を軽く開いてもらう。
3. 対象者が握力計を正しく握れるように，握りの幅を調節する。
4. 指針やデジタル表示を「0」に合わせる。
5. 握力計の指針や表示が外側になるように軽く握らせる。腕を自然に垂らして，握力計を一気に全力で握ってもらう。
6. 握り終わったら握りをゆるめてもらい，指針あるいはデジタル表示を読む。
7. 左右の手をかえて 2 回ずつ測定を行い，最大値を記録する。測定値は kg 単位で小数点以下第 1 位まで記録する。
8. 測定が終了したことを対象者に伝える。

あとかたづけ

握力計を適宜清掃し，かたづける。

■肺活量の測定

　肺活量計には湿式肺活量計と乾式肺活量計があるが，スパイロメータを用いて，その他の呼吸機能とあわせて測定されることも多い（◯図 3-20）。スパイロメータは呼吸機能を調べる機器で，肺活量・残気量・1 回換気量などを測定することができる。主たる構造としては，一気に吐いた息の空気量（呼

気量)を測定・表示・記録する本体部分と，息の吹き込み口(マウスピース)，マウスピースと本体をつなぐ部分(導管)からなっている。

●湿式肺活量計を用いた測定

必要物品

①湿式肺活量計，②消毒用アルコール綿など

事前準備

▶肺活量計の水槽に水を入れ，温度計で水温をはかり，水温の目盛りに指示線を合わせて温度補正を行う。排気コックを開いて内槽を一番下まで沈め，コックを閉じておく。

手順

1 対象者に目的を説明し，深呼吸ができるように衣服をゆるめてもらう。
2 軽く足を開いて安定した立位をとってもらい，深呼吸の練習を2〜3回行う。
3 深く息を吸い込んで，マウスピースに口を密着させ，呼気がもれないように十分に吹き込んでもらう。
4 息を吐きおえた時点の指示線を，正確にすばやく読みとる。
5 測定値はmL単位で十の位まで記録する。
6 測定が終了したことを対象者に伝える。

あとかたづけ

1 アルコール綿やアルコール液で，マウスピースの消毒を行う。
2 内槽の水を捨て，水分をふきとって乾燥させる。

●スパイロメータを用いた測定

必要物品

● スパイロメータ

事前準備

各スパイロメータの取扱説明書にそって準備を行う。
1) 電源を入れ，IDデータ，性別，年齢などを入力する。
2) キーボードで測定項目を選択する。
3) 使い捨てのマウスピースを使用する場合には，アダプタにマウスピースを接続する。マウスフィルタを使用する場合は，マウスフィルタアダプタに接続する。

手順

1 対象者に目的を説明し，深呼吸ができるように衣服をゆるめてもらう。
2 対象者の鼻にノーズクリップをとめ，マウスピースを口にくわえてもらう。
3 静かな呼吸を数回繰り返したあと，1回大きく息を吐き(最大呼気)，次に大きく息を吸い(最大吸気)，さらに大きく息を吐く。
4 3を2〜3回繰り返す。
5 表示された測定値を確認する。

|6| 測定が終了したことを対象者に伝える。

|7| 測定値を出力し，記録する。

あとかたづけ

|1| マウスピースが使い捨ての場合は，所定の方法で廃棄する。

|2| 各スパイロメータの取扱説明書にそってかたづける。機器のフィルタは，定期的な交換を行う。

●参考文献
1）阿曽洋子ほか：基礎看護技術，第8版．医学書院，2019.
2）堺章：目でみるからだのメカニズム，第2版．医学書院，2016.
3）日野原重明：刷新してほしいナースのバイタルサイン技法．日本看護協会出版会，2002.
4）日野原重明監修：バイタルサインの見方・読み方（看護学生必修シリーズ）．照林社，2005.
5）古谷伸之編：診察と手技がみえる vol.1，第2版．メディックメディア，2007.

まとめ

- よりよい看護を提供するうえで，身体および心理・社会的側面の観察は重要である。
- 身体的な側面および心理・社会的側面に関して情報を集め，健康状態を査定することをヘルスアセスメントという。
- 看護師は，バイタルサイン（意識・呼吸・脈拍・血圧・体温）の測定を正しい手技で，かつ必要なときに実施することが重要である。
- 身体の計測には，身長や腹囲などの形態をはかるものと，握力や肺活量など身体の機能をはかるものがある。

復習問題

❶ 次の問いに答えなさい。

①バイタルサインの測定における観察項目を5つあげなさい。

答〔　　　〕〔　　　〕〔　　　〕
〔　　　〕〔　　　〕

②血圧の測定において，収縮期血圧（最高血圧）と拡張期血圧（最低血圧）の差をなんというか。

答〔　　　　　　　　〕

❷ 〔　〕内の正しい語に丸をつけなさい。

①呼吸リズムの異常において，呼吸が徐々に大きくなってから，徐々に小さくなり，無呼吸になるものを〔チェーン-ストークス呼吸・クスマウル呼吸〕という。

②聴診法で血圧を測定するときに，収縮期血圧は〔最初の音が聴こえた時点・音が聴こえなくなった時点〕の値である。

③高熱で日内差が1℃以内となる熱型を〔稽留熱・弛張熱・間欠熱・波状熱〕という。

❸ 次の問いに答えなさい。

①呼吸音の聴取の順序を下の図に書き込み
　なさい。

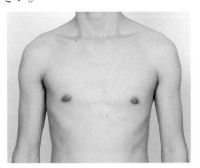

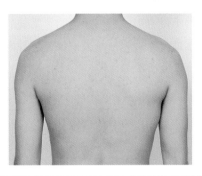

②口腔検温にて体温計を挿入する位置を下
　の図に書き込みなさい。

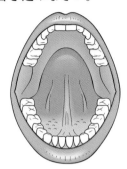

B 情報の収集と記録・報告

1 情報の収集

　　看護の場では，治療や援助のために，患者を中心としたさまざまな情報がやりとりされている（●図3-21）。患者の身近な存在である看護師が，適切に情報収集し，医師や担当以外の看護師，他職種と情報共有することは，患者や家族にさまざまなメリットをもたらし，その意義は大きい。

情報収集とは●　　情報収集とは，看護の対象である患者に関する個人的な属性（年齢・性別・職業・家族など）や健康にかかわる身体的・精神的・社会的な状況について，コミュニケーションや観察などの手段を用いて，意図的・系統的に情報を得ることをいう。意図的・系統的とは，看護の目的にそって，計画的に，必要な情報を取捨選択し，順序よく行うことを意味する。

1 情報収集の目的と意義

　　情報収集の目的は，①看護援助の検討，②医師が行う診療行為の補助，③医療チームでの情報共有である。それぞれの意義は以下のとおりである。

　　①看護援助の検討　　看護師は，患者の身体的・精神的・社会的な情報をもとに，その人の全体を理解したうえで，必要な看護援助を考え，看護を実施する。

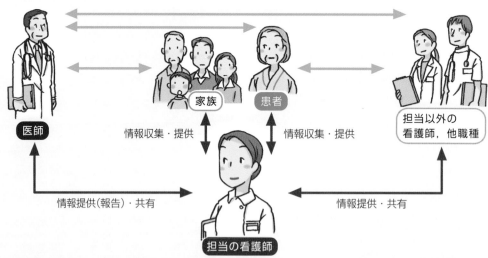

担当の看護師が患者・家族の情報を適切に把握し，医師や担当以外の看護師，他職種に適切に情報を共有・提供することで，治療や援助が円滑に進んでいく。

● 図 3-21　看護の場における情報の流れ

②**診療行為の補助** 医師は，診察を通して患者から病状・病態に関する情報を得る。そして，患者の状態を把握しつつ治療を行い，その効果や副作用に関する評価を行う。これらの診療の補助を行う看護師は，患者の状態を継続して観察し，医師に報告，あるいは記録する。

③**医療チームでの情報共有** 今日では，看護師および他職種を含めた医療チームをつくり，複数人で患者に看護援助や医療行為を行うことが多くなった。しかし，チームの連携がわるく，情報共有がなされないと，患者はさまざまな人・職種から何度も同じ質問を受けたり，それぞれ異なったやり方で援助や医療行為を受けたりすることになる。このようなことを避け，より効果的なチームの協働をはかるために，看護師は重要な役割を担う。患者と接する時間が長く，身近な存在である看護師が中心となって，患者や家族から情報を得て，チームに情報提供し，共有することが大切である。

❷ 情報収集に必要な能力

患者や家族から，その個人にかかわる情報を適切に収集するためには，以下のような能力が必要である。

(1) 適切な人間関係を築き，コミュニケーションをとる(⟳4ページ)。

(2) 見る，聴くなど，五感をはたらかせる(⟳111ページ)。

(3) 情報を適切に取り扱う。

このうち(1)，(2)についてはすでに学んだ。ここでは(3)について述べる。

情報の適切な取り扱い● 情報の適切な取り扱いとは，①目的に応じた情報のみを収集し，適切な人にのみ情報提供あるいは報告を行うこと，そして②適切な記録物に記録することである。この場合の適切な人とは，医師や看護師，他職種など，その情報を活用して，看護および医療行為を行う人をさす。

つまり，看護師は，患者の看護に関連のない情報を興味本位で得てはならず，また，関連のない人や場に情報をもらしてはならない。看護師には秘密をまもる義務(**守秘義務**)があることを，心にとめておく必要がある[1]。

❸ 情報収集の方法

情報を意図的・系統的に得るということは，言いかえれば，どのような情報が不足しているかを把握し，それを適切に入手していくことである。患者の状況に応じて，以下のポイントを組み合わせて情報の収集を行う。

情報の整理● あらゆる場面において，情報収集のために得るべき事項は「5W1H」で整理できる。5W1H とは，Who(誰が；人)，What(なにを；できごと)，When(いつ；時間)，Where(どこで；場所)，Why(なぜ；理由)，How(どのように；方法)をさし，これらの観点からものごとを整理して，不足して

---

1) 守秘義務については，『新看護学5 看護概論』を参照のこと。

いる情報を得るようにするとよい。

情報の種類● 　情報は，**主観的情報** subjective data（S）と，**客観的情報** objective data（O）に分けられる。主観的情報は患者が発した言葉であり，患者のみが提供できる情報である。客観的情報は，医師・看護師といった患者以外の人が観察や問診などを行って得る情報であり，バイタルサインや検査結果なども客観的情報に含まれる。主観的情報と客観的情報の両方を収集することで，多面的で信頼できる情報を得ることができる。

情報源と● 　情報収集にあたっては，入手したい情報に合わせて，どこから手に入れる
収集手段 かを考える必要がある。おもな情報源として，①当事者である患者，②家族や患者にとって重要な他者，③看護師・医師・他職種（薬剤師，栄養士，理学療法士など），④記録物（診療録，検査データ，看護記録など）があげられる。

　情報収集の手段は，目的に合わせて選択される。主観的情報がほしい場合は患者にコミュニケーションや問診（面接）を行い，客観的情報がほしい場合は観察（視診）・聴診・打診・触診，バイタルサインや身体の測定などを行う。情報源が記録物の場合は，記録日，記録者，記録内容を確認する。

　今日では多職種にて診療，援助を行うことから，医療チームカンファレンスにて多職種から情報を得ることも大切である。

情報収集のため● 　コミュニケーションは，患者と看護師の信頼関係を築くうえで大切である
のコミュニケー と同時に，情報収集のための手段としても重要である（◯5ページ）。ここで
ション は情報収集の場面にしぼってそのポイントを示す（◯表3-17）。

❷ 記録・報告

❶ 看護記録

　看護師が看護実践の過程を記述し，個々の患者とその看護について記録すること，または記録したものを**看護記録**という。看護記録に書かれている情報は，看護師が看護ケアを行う際の判断材料となるだけでなく，看護に関する教育や研究活動を行うための資料となる。したがって，記録は欠かすことができない看護技術の一つである。ここでは，看護記録の目的や種類，記載方法について述べる。

意義と目的● 　看護記録に記載された情報には，以下のような意義と目的がある。医療従事者が活用するだけでなく，必要時には患者へ開示されるなど，きわめて重要なものである。

　（1）看護行為を実践し，評価するための資料となる。

　（2）医療チームのメンバーや患者との情報交換・情報提供の手段となる。

　（3）医療施設が設置基準や診療報酬上の要件を満たしていることを証明する。

　（4）看護実践に関する教育・研究の資料として用いられる。

○ 表3-17　情報収集の場面におけるコミュニケーションのポイント

場面	ポイント	工夫やコミュニケーションの例
会話の準備	得たい情報は事前にまとめておく。	アセスメントガイドを活用してもよい（○163ページ）。
	情報収集のための環境を整える。	とくに精神的・社会的情報を聴くときは，プライバシーが保持された面談室か，散歩のときがよい。
会話の導入	まずは信頼を得るために挨拶，自己紹介，会話の目的や時間を伝える。	「こんにちは。看護師の〇〇です。これから20分ほど，入院前の生活の様子をうかがいたいのですが，よろしいでしょうか」
	得た情報は記憶しておくのがよいが，正確に覚える必要がある場合は記録の許可を得る。	「お話しいただいたことを正確に覚えておきたいので記録してもよいですか」
会話中	平易な言葉で，丁寧語を用いる。	「自宅ではお小水は1日何回くらいでしたか」
	簡単なことから複雑なことへ順に聴く。似た情報はまとまりにして聴く。	「自宅での食事の様子を教えてください」
	5W1Hが明確になるように質問する。ただし，一気には聴かない。	「お食事（なに）は，どなたが作りますか（誰），1回のお食事量はお茶碗でどれくらいですか」
	患者の体験談を聴いてみる。	「前回の手術のときはどんな状態でしたか」
	患者の話がまとまらないときは，言いかえてみて確認をする。	「言いかえると，〇〇ということですか」
	感じたことを言語化して確認する。	「今日はつらそうにみえますが，だいじょうぶですか」
	適切な大きさの音声で話す。	高齢者や難聴がある患者には，耳もとでゆっくりと大きな声で話す。
	表情豊かに話す。適宜うなずき，受容の態度を示す。	話題に応じて，笑顔や心配そうな表情を心がける。

（5）法律上の問題が生じた場合の法的証拠書類となる。

構成要素●　看護記録は基本的に，次の4つの構成要素に分けて記載される。なお，問題志向型システム（POS，○NOTE）による記録を導入している施設では，このほかに，解決すべき患者の問題点を列挙した「問題リスト」が加わる。

　①**入院時基礎情報**　患者の属性や生活習慣など，個別的な情報が記載されたものである（○図3-22）。通常は入院時に患者または家族から情報を聴取し，記載される。

Note

問題志向型システム problem oriented system（POS）

　POSは，1964年にアメリカの医師ウィードL. L. Weedによって考案された医療記録のシステムである。患者がもつ問題とその解決のプロセスを中心に記録が展開され，多くの医療施設の看護記録に導入されている。POSは「問題志向型看護記録（problem oriented nursing record：PONR）」「評価」「修正」という3段階で構成され，看護のプロセスがわかりやすく，監査をしやすいという利点がある。

入院日	令和3年10月2日　13：00，独歩				主治医		小林	
氏名	山田 太郎 様　　男性	生年月日	1951/12/12　70歳	血液型	A型	職業	農業	
家族構成	70歳　　　　　　　　69歳　　□：男性　○：女性　□ ◎：本人　■ ●：死亡　◯：同居者			住所	東京都○○市○○			
				緊急時連絡先	山田 一郎（長男）090-XXXX-XXXX			
				キーパーソン	山田 花子（妻）			
診断名	肝硬変							
既往歴	H21〜　高血圧H23〜　糖尿病，近医にて経過観察H29〜　腰痛のためコルセット使用（痛みがあるときのみ）							
入院までの経過	R3年8月ごろより皮膚色不良となり，家族から指摘されていた。R3年9月末より眼球の黄染がみられるようになった。R3年10月1日より腹部膨満と倦怠感が出現し，近医受診。肝機能異常のため当院を紹介され，緊急入院となる。							
入院時バイタルサイン	体温：36.4℃　　　末梢冷感：有・無　　　チアノーゼ：有・無呼吸：19回/分　　呼吸困難：有・無　　　咳嗽：有・無　　SpO₂：95%脈拍：93回/分　　リズム不整：有・無血圧：158/98mmHg							
食生活	食事：1日2〜3回，朝食は食べないことが多い。夜は外食が多く，ほぼ毎晩ラーメンを摂取。咀嚼・嚥下障害：有・無飲酒：ビールと焼酎を毎日5〜6缶（1缶350mL）喫煙：有・無　　20〜30本/日							
活動	自立度：すべて自立，ただしときどき腰痛あり。活動量：仕事（農業）を8：00〜15：00。仕事以外ではとくに運動をしない。							
清潔	入浴・シャワー・清拭　　　1日1回，夜衣服：上下式パジャマ							

図 3-22　入院時基礎情報の例

②**看護計画**　患者の問題を解決するための個別的なケアの計画を記載したものである（◯図3-23）。

③**経過記録**　実施された治療・処置・看護ケアや，患者の状態などについて経過を記載するものである。経過記録の様式は多様であり，医療施設や病棟によって定められたものを使用する。

④**看護サマリー**　患者の経過や情報について要点を簡潔にまとめたものである。病棟や施設をかわる際に必要に応じて作成する。

経過記録の種類●　経過記録には叙述的経時記録，POS による SOAP 方式，フォーカスチャーティング方式，フローシート，クリニカルパス（クリティカルパス）といった様式がある（◯154 ページ，**表3-18**）。◯**図3-24** は，ある患者についての経過記録を3つの様式で書いたものである。◯**図3-25，26** に，クリニカルパスとフローシートの一例を示す。

看護目標	黄疸による瘙痒感や皮膚トラブルを予防するための行動を身につけ，安楽に日常生活を送ることができる。	
期待される成果	計画	達成度評価
①瘙痒感が軽減し，搔破による新たな傷をつくらない（10月8日まで）。 ②皮膚トラブルを予防するための清潔行動を身につけることができる（10月15日まで）。	＜観察計画＞ 1）バイタルサイン 2）黄疸の有無，部位，程度 3）皮膚瘙痒感の有無，部位，程度 4）発汗，皮膚の湿潤状態 5）搔破行動の有無 6）搔破による傷の有無，部位，程度 　（以下省略） ＜直接ケア計画＞ 1）皮膚・粘膜の清潔を保つ。 　①シャワー浴のない日は，毎日10時に全身清拭を行う。 　②瘙痒感や傷の部位・程度に合わせ，手浴・足浴，洗髪などの部分浴を行う。 　③息切れや腹部膨満などにより自力での実施が困難な場合は，適宜介助する。 　④1日3回，保湿剤の塗布を確実に行う。 　（以下省略） ＜教育計画＞ 1）清潔行動で皮膚を傷つけたり刺激したりしないように説明する。 　①低刺激で無添加の石けんを使用するよう説明する。 　②やわらかいスポンジを用いて，皮膚を強くこすらないように説明する。 　③爪を短く切っておくように説明する。 　（以下省略）	

◯ 図 3-23　看護計画の例

看護ケアの●
実践と記録　看護記録は，看護師の活動記録ともいえる。看護ケアの実施においては，看護計画の確認が欠かせない。看護計画は，どの看護師がその患者を担当しても同じ方法でケアを実施できるように，誰がみてもわかりやすく記載されていることが重要である。そのため，看護記録に記載される内容は，事前に収集した情報を十分に生かして，5W1H（◯ 149 ページ）が含まれるように表現されていなければならない。

　また，看護師は看護ケアの実施にあたり，どのような効果（目標）をねらい，なぜ行うのか，どのような方法で行うのかなどを具体的に理解したうえで実施することが重要である。

　看護ケアの実施の際は，適宜コミュニケーションをとりながら，実施前・実施中・実施後にわたり患者の反応を観察する。このような看護活動を通して新たに得られた情報は，さらなる患者への治療や看護ケアの情報源となる

⊃ 表3-18　経過記録の種類

経過記録の種類		記録様式と特徴
叙述的記録	叙述的経時記録	できごとを経時的に記録する方式。患者に関するできごとを，時間を追って把握できるが，特定の問題をどの段階で評価しているかがわかりにくい。
	問題志向型システム（POS）（SOAP方式）	患者の問題ごとに治療やケアの経過を記録する方式。日時と看護問題のナンバーを記し，S→O→A→Pの流れで記載する。問題解決のプロセスを把握しやすい。 　S（Subjective data）：患者の訴えやインタビューによって得られた主観的情報 　O（Objective data）：診察や観察・検査などによって得られた客観的情報 　A（Assessment）：S，Oの解釈・分析 　P（Plan）：計画
	フォーカスチャーティング方式	患者の現在の状態や，治療やケアに対する特定の症状や反応に焦点（フォーカス）をあてて記録する方式。フォーカスした事項のキーワードをあげ，以下の流れで記載する。現在の患者の状態を把握しやすい。 　D（Data）：フォーカスした事項に関する情報 　A（Action）：フォーカスした事項に対して実施した処置や検査，看護ケア 　R（Response）：実施した処置，検査，看護ケアなどに対する結果や患者の反応
フローシート（経過一覧表）		患者のもつ特定の症状や，看護問題に関連する項目を経時的に観察するための一覧表。治療や検査，看護ケアの実施前後で患者の状態がどのように変化したのか把握しやすい。図や記号などで簡潔に状況を記載する場合は，施設で決められた方法を用いる。
クリニカルパス（クリティカルパス）		典型的な経過をたどる件数の多い特定の疾患において，通常実施される治療や検査，看護ケアの計画とそれぞれに期待される結果を経時的に記したガイドラインである。活動，食事，治療，検査，患者教育，退院計画などがガイドラインの項目としてあらかじめ明記されており，患者にとって，いつどのようなことが実施されるのかが把握しやすい。またスタッフ間のケアの質のばらつきを防ぐことができる。ただし，標準的な経過をたどることが困難な患者の場合は，個別に看護計画をたてる必要がある。

ため，しっかり記録しておくことが重要である。

記録上の注意●　看護記録は医療チームのメンバーとの情報交換のために活用され，必要時，患者に開示されることもある。記録内容はわかりやすく読みやすいこと，また，患者や関係者に開示しても問題ないように，事実が正確に記載されていることが重要である。看護師全員が次の記載基準をまもることが求められる。

(1) 楷書で読みやすく記載する。

(2) 要点を押さえ，簡潔・明瞭に記載する。

(3) 憶測や感情的表現を用いず，事実のみを客観的に，ありのまま記載する。

(4) 治療や看護ケアを行ったあとは，時間をおかずにすぐに書きとめる。

(5) 患者・家族への説明や，やりとりの内容も記載する。

(6) 専門用語を用いる。略語は各施設で認められているものを用いる。

(7) 消えないように黒ボールペンで記載する。

(8) 日付，時刻，サインを記載する。

(9) 訂正は訂正前の文字が読みとれるように2本線で行い，訂正日時と訂正者のサインをする。

(10)情報のつけたしや改ざんができないように，無意味な空白をつくらない。

叙述的経時記録	5/4	12：30	訪室すると，腹部をさすりながら「あー，おなかが痛いな」と訴える。食欲なく，昼食は 1/3 のみ摂取。「3 日前から便秘ぎみなんだよ」と言って昼食後は横になっている。 最終排便は 5 月 1 日。腹部膨満あり。腹部の温湿布と腹部マッサージを実施した。
		14：00	奥様と中庭まで散歩に行く。
		16：00	洗髪希望あり。シャワー室で洗髪実施。
		18：40	腹痛なし。夕食全量摂取している。
POS による記録	5/4	12：30 #1 腹痛および腹部膨満がある。	S）あー，おなかが痛いな。3 日前から便秘ぎみなんだよ。 O）訪室時，腹部をさすっている。昼食は 1/3 のみ摂取。昼食後，横になっている。腹部膨満あり。最終排便は 5 月 1 日。 A）便秘による腹痛，腹部膨満から食欲の低下とともに活動の低下がみられる。排便を促す必要あり。 P）腹部の温湿布と腹部マッサージを実施し，腹痛の軽減がみられた。今後も腹痛が続くようであれば医師に報告する。
フォーカスチャーティングによる記録	5/4	12：30	フォーカス：腹痛 D）「あー，おなかが痛いな。3 日前から便秘ぎみなんだよ」と腹痛を訴えている。昼食 1/3 のみ摂取し，横になる。腹部膨満あり。最終排便 5 月 1 日。 A）温湿布，腹部マッサージ施行。 R）「腹痛軽減した」と笑顔がみられる。

◯ 図 3-24　経過記録の記載例

◯◯手術を受けられる方へ

指示医署名（　　　　　）
指示受け看護師署名（　　　　　）

患者氏名　　　　　様　　　歳

日時	／	／	／	／	／
経過	入院	手術前日	手術当日	術後 2 日目	術後 3 日目
食事	常食	食事は夕食まで。21 時以降水分は控えてください。	絶飲食	常食	
内服	薬剤師が訪問し，内服の確認をします。	いつもの時間に内服してください。	抗菌薬を内服します。	通常通りの時間に内服してください。	通常通りの時間に内服してください。
活動・安静	制限はありません。			医師の診察後，許可があれば制限なく歩行できます。	
清潔	制限はありません。	夜に入浴します。	シャワー，入浴はできません。	医師の診察後，許可があれば制限なく入浴できます。	
排泄	制限はありません。		手術に向かう 30 分前にはトイレをすませておいてください。	通常のトイレを使用できます。	
検査・処置	午後から X 線撮影と生理機能検査を行います。	採血をします。夕食後，20 時から点滴を開始します。	手術前に検温をします。	必要に応じて採血と傷口の消毒を行います。	必要な診察・検査を行う場合があります。
説明	主治医から検査・治療方針の説明があります。丁字帯を準備してください。	看護師から術前のオリエンテーションを受けます。		薬剤師による指導があります。	傷口の保護や生活上の注意点について説明があります。

◯ 図 3-25　クリニカルパスの例

| 氏名　田中　一郎 様　男性 50歳 | | | 診断名　胃がん | | | | 主治医　水戸 | | 看護師　渡邊 |

BP	R	P	BT	9/10　術前	9/11　術当日		9/12　　1日目
(mmHg)	(回/分)	(回/分)	(℃)		術前	術直後	

凡例（縦軸）：
200/45/200/39.5, 180/40/180/39.0, 160/35/160/38.5, 140/30/140/38.0, 120/25/120/37.5, 100/20/100/37.0, 80/15/80/36.5, 60/10/60/36.0, 40/5/40/35.5

術直後の時刻：16:00　19:00　22:00

胃全摘術　ルーY法

項目	9/10 術前	9/11 術前	9/11 術直後			9/12 1日目		
酸素投与			O₂マスク2L──────→			O₂カニューレ1L──────→中止		
SpO₂			95%	95%	97%	97%	98%	ルームエア96%
意識レベル			半覚醒	全覚醒	クリア	クリア	クリア	クリア
肺音			右下葉弱め	右下葉弱め	クリア	クリア	クリア	クリア
皮膚色			やや不良 冷感あり	やや不良	ピンク	良好	良好	良好
創部状態			ガーゼ上出血なし			ガーゼ3×2cm血跡あり，発赤・腫脹なし ハイドロコロイド保護		
食事			絶飲食──────→			水10mL	水10mL	水10mL
腹部聴診（G音）			弱め	弱め	良好	良好	良好	良好
排便/性状			なし/-	なし/-	排ガスあり/-	なし/-	1/茶色少量	なし/-
胃チューブ			唾液様少量のみ		23時抜去			
ドレーン		ダグラス窩 モリソン窩	ルート内血性 4mL 血性2mL 7mL	5mL 6mL		淡血性18mL 9mL 淡血性11mL 2mL		7mL 淡々血性2mL
尿量		16Frバルン 10mL固定		540mL+α			1,360mL/比重1.010	
保清							清拭，口腔ケア	
検査・治療・処置 その他		硬膜外麻酔 アナペイン	24時間EKGモニター管理──────→16:00　OFF 弾性ストッキング着用──────→ 継続──────→ 胸腹部X線撮影 採血：血算，生化学一式					

BP（血圧）：∨は収縮期血圧，∧は拡張期血圧の値を示している。
R（呼吸数）：黒線，P（脈拍数）：赤線，BT（体温）：青線で記録される。

◎ **図3-26　フローシートの例**

記録の保存と管理　医療現場における記録（診療記録）には，医師の診療録，手術記録，検査記録，看護記録などのさまざまな種類がある。診療記録のうち，医師・歯科医師によって記載される**診療録**は，5年間の保存義務がある（医師法第24条，歯科医師法第23条）。また，助産師が記載する**助産録**については，保健師助産師看護師法第42条で記録が義務づけられている。

　看護記録は，診療記録の一部として位置づけられているが，法令によって

定められた保存期間は異なる。たとえば，病院では2年間（医療法第21条，医療法施行規則第20条），保険医療機関では3年間（保険医療機関及び保険医療養担当規則第9条）とされている。

電子カルテ●　2001（平成13）年に，厚生労働省から出された「保健医療分野の情報化に向けてのグランドデザイン」に従い，医療現場へ積極的に電子カルテが取り入れられ，患者にかかわるすべての情報がコンピュータ上で管理されるようになってきた（◎図3-27, 28）。これにより，情報の共有が円滑になり，効率的に治療や看護ケアを提供することが可能になっている。さらに，近年では遠隔診療のための重要なツールとして役立っている。

電子カルテにも長所と短所がある（◎表3-19）。とくに，電子カルテは膨大

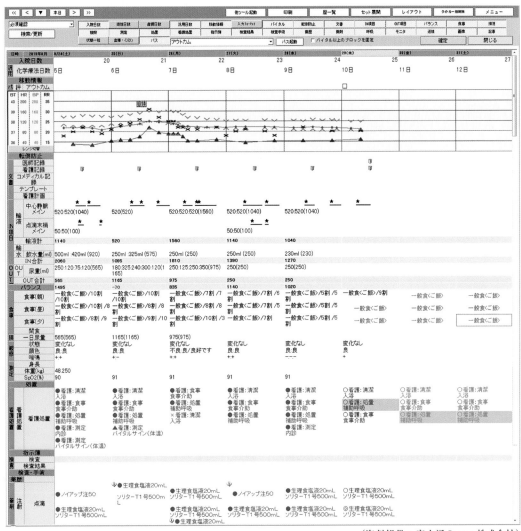

（資料提供：富士通 Japan 株式会社）

◎ 図3-27　電子カルテの例（フローシート）

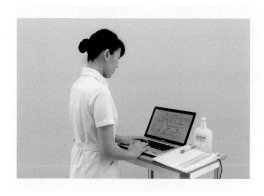

◯ 図3-28　電子カルテへの入力の様子

◯ 表3-19　電子カルテ導入の長所と短所

長所	● 職種や部門，距離をこえて情報を共有できる。 ● 入力した文字情報・画像情報を瞬時に共有できる。 ● 大量の情報をコンパクトに保存できるため，保管スペースが少なくてすむ。 ● 文字が読みやすく，読み間違いによる事故を防止できる。
短所	● 個人情報の保護・管理のための厳重なシステムが必要である。 ● コンピュータ操作の習得を要する。 ● 電源およびコンピュータの確保と維持に多額の費用がかかる。 ● システムダウンがおきた場合，すべての情報が閲覧できなくなる。

な患者情報を職種・部門をこえて共有できる利点がある。ただし，効果的に活用するためには，職種間で用いる医療用語の標準化や，情報漏えいを防止するためのシステムの構築が必要となる。

❷ 報告

　看護における報告は，医療チームのメンバーや，患者・家族などと必要な情報を共有し，よりよい医療・看護ケアの提供のために欠かせないものである。重要な報告は口頭で行われるだけでなく，記録によって行われることもある。報告を適切に行うことは，記録とともに看護に必要な技術である。

報告の目的●　看護における報告には，次のような目的がある。

(1) 看護ケアの内容をチームに伝え，一貫したケアを継続して提供する。

(2) より適切な看護ケアを実施するために，先輩に相談したり，指導を受ける機会とする。

(3) 看護業務の実施状況を伝える。

(4) 医師や看護師から受けた指示や依頼の結果を伝える。

報告の種類●　看護における報告には，次のような種類がある。

(1) 申し送りやカンファレンスなどの定期的に行う患者の状況報告

(2) 急変・異常時の緊急報告

(3) 指示や依頼の結果に対する報告

(4) その他の報告(研究報告，施設管理上の報告など)

留意事項●　報告は，必要な相手に必要な情報を正確に伝えることが重要である。また，医療現場や患者の状況に応じて，適切な時期に行わなければならない。報告内容を相手に正しく理解してもらうために，次のことに留意する。

(1) 要点を押さえ，簡潔・明瞭に報告する。

● 報告したい内容を整理し，要点をまとめる。

- 結論から先に述べる。
- 相手が理解できる速度（1分間に300文字）と語調で伝える。

(2) 正確かつ適切な報告を行う。

- 報告内容の間違いや，不十分なことがないようにする。
- 重要な事項や口頭ではわかりにくい内容は，適宜，記録を活用する。

(3) 報告の時期をのがさない。

- 緊急に報告すべきか，定期的報告でよいのかを判断する。
- 緊急報告は一刻も早く，的確に報告する。

　患者の安全を守るために，緊急時には迅速な報告が欠かせない。そのため，看護師は患者の状態の変化にいち早く気づく力を身につけなければならない。患者に関心をもち，日ごろから患者をよく観察することが重要である。また，身体の正常・異常をしっかり把握しておくことも役にたつ。「おや？」と思うことがあればすぐに報告・相談をすることを心がけよう。

看護師への●
報告の例

　報告は「ISBARC」（アイエスバーシー）の流れを意識すると伝わりやすくなる。

　① I（Identify；識別）　報告者名および患者を明らかにする。自分の部署，氏名とともに，患者の部屋番号，名前，年齢，性別を明確に伝える。

　② S（situation；状況）　患者のいまの状況を簡潔・明瞭に伝える。

　③ B（background；背景，経過）　入院目的や既往歴，これまでの経過など，いまの状況を理解するのに必要な情報を簡潔に伝える。

　④ A（assessment；判断・評価）　なにが問題だと思うか，いまの状況から自分の考えや判断したことを伝える。

　⑤ R（recommendation；依頼，要請，提案）　どうしてほしいのか，依頼や提案を明確に伝える。また，次にどうしたらいいのか指示を受ける。

　⑥ C（confirmation；確認）　指示の内容を復唱し，確認する。

　ISBARC の流れで報告すると，以下の事例のようになる。

　■事例　呼吸器疾患の急変患者について看護師へ報告

　I：呼吸器内科病棟の渡邉です。601号室の山田太郎さん，55歳，男性の容体についてご報告いたします。

　S：山田さんは現在，ゼイゼイ，ヒューという喘鳴（ぜんめい）がみられている状態です。呼吸困難で動くのもつらいと訴えています。

　B：山田さんは肺炎のため昨日10時に入院されました。抗菌薬の点滴により夕方から解熱し，落ち着いて経過していました。今朝は5時ごろから咳き込むようになり，持参薬の吸入を実施しましたが，8時には再び咳がひどくなり，喘鳴が出現しました。

　現在のバイタルサインは体温37.9℃，呼吸は26回/分，SpO_2 93% です。もともと喘息の既往があり，20歳から近医で抗アレルギー薬と吸入薬を適宜処方しても

らっているそうです。

　　A：肺炎以外に喘息発作がおきていると思います。持参薬での対応はむずかしそうです。

　　R：山田さんの呼吸状態について至急確認していただけますか。主治医の○○先生の診察と薬剤の指示をお願いします。

【看護師から，治療について医師の指示を受ける】

　　C：すぐにインタール® 2 mL，メプチン® 0.3 mL をネブライザー吸入ですね。その後，鼻腔カニューレで酸素吸入 2 L/分を開始ですね。

まとめ

- 情報収集の目的は，①看護援助の検討，②医師が行う診療行為の補助，③医療チームでの情報共有である。目的に合わせて，コミュニケーションや問診，観察（視診），聴診，打診，触診，バイタルサインや身体の測定などを行う。
- 看護記録は，看護ケアを行う際の判断材料となり，教育や研究を行うための資料になる欠かすことができない看護技術である。
- 看護における報告には，①定期的な状況報告，②急変・異常時の緊急報告，③指示や依頼の結果に対する報告，④研究報告・施設管理上の報告などのその他の報告がある。

復習問題

❶〔　〕内の正しい語に丸をつけなさい。

①情報のうち，医師・看護師といった患者以外の人が観察や問診などを行って得る情報を〔主観的情報・客観的情報〕という。

②患者の現在の状態や，治療やケアに対する特定の症状や反応に焦点をあてて記録する方法を〔フォーカスチャーティング方式・クリニカルパス〕という。

❷ 問題志向型システム（POS，SOAP方式）について，左右を正しく組み合わせなさい。

①S・　　　　　　　・Ⓐ 計画
②O・　　　　　　　・Ⓑ 解釈，分析
③A・　　　　　　　・Ⓒ 主観的情報
④P・　　　　　　　・Ⓓ 客観的情報

❸ 次の問いに答えなさい。

①情報収集のために得るべき事項「5W1H」とはそれぞれなにか説明しなさい。

答〔　　　　　　　　　　　　　　　　　〕

C 看護過程

1 看護過程の定義と意義

看護師は，患者にかかわる情報を得て，その全体を理解し，必要な援助を考えて，実施する。このときに**看護過程**という，実践のための科学的な方法を用いる。

准看護師は，看護過程の展開を単独で行うことは少ないが，看護師と共同で展開する機会は多い。したがって，看護過程の定義と意義について学習し，そして看護師が行う思考過程をともにたどり，必要な看護を実施できるように十分に学んでほしい。

看護過程の定義● 看護過程とは，患者の健康状態や生活環境に関する情報を得て，アセスメントし，援助する内容(看護問題または看護診断)を明らかにし，計画の立案，実施，評価を行うという構成要素からなる一連の過程である。すなわち問題解決的思考の一つである。日本看護科学学会看護学学術用語検討委員会(1995 年)は，次のように定義している。

> 『看護過程』とは，看護を実践するものが独自の知識体系・経験にもとづいて，対象の必要に的確に応えるために，看護により解決できる問題を効果的に取り上げ，かつ解決していくために，系統的・組織的に行う活動である[1]。

さらに，日本看護協会による看護業務基準(2016 年)には，「看護を必要とする人を継続的に観察し，状態を査定し，適切に対処する」とあり，看護実践の方法として看護過程の展開の必要性を示している[2]。

看護過程の●
展開の意義 看護過程を展開することには ◉ 表 3-20 のような意義がある。看護過程の展開でもっとも意義のあることは，患者個々人に合った個別的な看護実践を可能にすることである。これこそが，専門職としての看護職が目ざすべきことである。したがって，看護を実践するにあたり，看護過程を理解しておくことは重要な意義があるといえる。

看護過程の活用●
における留意点 ただし，看護過程には限界もある。たとえば，看護の対象である人間の多面性や複雑さをとらえきれない，看護過程を整理・記述することに時間がかかる，共通した表現を用いることが困難である，などがあげられる。そのた

1）日本看護科学学会看護学学術用語検討委員会：看護学学術用語. p.50, 日本看護科学学会第 4 期学術用語検討委員会，1995.
2）日本看護協会編：看護に活かす基準・指針・ガイドライン集 2018. p.5, 日本看護協会出版会，2018.

○ 表3-20　看護過程の展開の意義

患者にとっての意義	● 個別的援助を受けられる ● 患者が援助に参加できる ● 質の高い包括的な援助が受けられる ● 援助を焦点化することで費用対効果が上がる
看護師にとっての意義	● 個別的・創造的な援助ができる ● 看護師間で共通する援助方法を提案できる ● 看護師間の共同体意識を高める ● 援助の効果が上がることで仕事の満足度が上がる
看護専門職としての意義	● 専門職としての責任を果たすことができる ● ほかの専門職に看護の専門性を説明できる

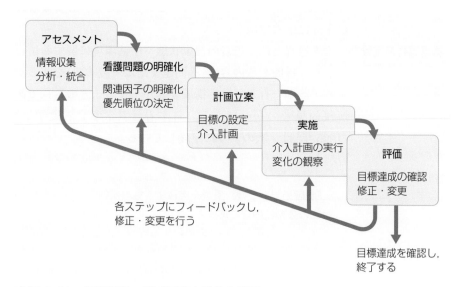

○ 図3-29　看護過程の構成要素と動的な関連

め，つねに方法の改善と工夫をはかりながら展開する必要がある。

　また，今日では，疾病・治療の流れにそって看護援助が標準化・パッケージ化されているクリニカルパス（クリティカルパス，○152ページ）が多く活用されている。クリニカルパスの流れにそうことで，ある程度は看護の質の維持がなされる。しかし，クリニカルパスに頼りすぎると，看護師の問題解決的思考が用いられず，結果として個別的援助ができないことがある。

　したがって，患者の状況に応じて，クリニカルパスと問題解決的思考に基づく看護過程を併用しながら看護実践を行うことが望ましい。

2 看護過程の構成要素とその特徴

構成要素とその●
動的な関連

　看護過程の構成要素には，①アセスメント，②看護問題の明確化（看護診断），③計画立案，④実施，⑤評価の5つのステップがある（○図3-29）。こ

れらが作用し合い，循環し，動的な関連をつくっている。

　看護過程は，基本的には一方向に順を追って進み，目標の達成が確認されれば，それで終了となる。目標の達成が確認されない場合は，フィードバックし，循環しつづけるしくみになっている。

　看護師は，頭のなかで，つねにアセスメント（情報収集・分析・判断）しながら，看護問題を明らかにし，計画立案，実施，評価を行う。その看護問題が単純なものであれば，看護師個人の思考過程のなかで看護実践にいかす。そして，日々の看護記録には，計画したことと実施したことを記載しておく（◯150ページ）。

　看護問題に関する情報量が多くかつ複雑で，むずかしい場合は，詳細に得た情報をアセスメントシートに記載する。それをチームで共有，カンファレンスなどで検討しながら，看護問題の焦点化，計画立案へと取り組んでいく。准看護師は，患者などから得た情報をカンファレンスなどで提供し，看護師とともに考え，立案された援助の意味を理解して援助を行うことが大切である。

❶ アセスメント

　アセスメントは，看護過程の最初のステップである。対象者について，看護の視点で情報を収集，分析し，対象者の健康状態とその状態が生活に及ぼしている影響を明らかにする。そして，その人を全体として把握して，援助の方向性を決める。これによって，患者の強みやその人らしさを見いだすことを可能にする。

　アセスメントは通常，2段階で行う。最初に，患者の全体に関する情報を得て，次に，援助が必要となる事象に焦点化（重点化）した情報の分析を行うようになる。

アセスメント●
ガイド
　そのときに，看護の視点で情報収集を行うために，看護理論による枠組みや，その病院の考えに基づいて作成した**アセスメントガイド**が用いられることが多い。これによって，必要な情報を系統的に，かつ，もれなく収集することができる。看護理論による枠組みとしては，ヘンダーソンの基本的看護の構成要素（◯**表3-21**）や，ゴードン M. Gordon の機能的健康パターン（◯**表3-22**），ロイ S. C. Roy の適応看護モデルがよく用いられる。

アセスメントの●
様式
　患者の氏名や年齢，住所，現病歴，診断名，入院時のバイタルサインなどの基礎情報の項目をおき，看護理論による枠組みに基づいて情報を整理する様式を**入院時基礎情報**または**データベース**という（◯152ページ，図3-22）。さらに，得た情報から焦点化し，分析・解釈を行い記載する様式を**アセスメントシート**という。アセスメントシートは，枠組みごとに，主観的情報（S）と客観的情報（O）（◯150ページ）を記載する欄，それに対応して分析・解釈を記載する欄から構成されていることが多い（◯図3-30）。

⬭ 表3-21　ヘンダーソンによるアセスメントの枠組みと項目例

基本的看護の構成要素	情報の項目例
1. 正常な呼吸	呼吸困難や息切れの訴え，呼吸数，呼吸型，呼吸音，喘鳴の有無，脈拍，血圧，胸部X線写真など
2. 適切な飲食	食欲や食事の好み，嚥下困難の有無，疼痛や吐きけ・嘔吐の有無，食事の時間・回数，血液検査データなど
3. あらゆる排泄経路からの排泄	排泄行為に関する訴え，排尿・排便の回数，排泄物の性状・量，排ガスの有無，排泄の自立度など
4. 身体の位置を動かし，またよい姿勢を保持	姿勢・体位に関する訴え，体位保持のバランス状況，疾病や障害の程度，皮膚の状態など
5. 睡眠と休息	不眠・疼痛の訴え，睡眠のとり方，睡眠時間，不安・イライラを示す行動，睡眠薬の使用の有無など
6. 適切な衣服の選択と着脱	衣服の着ごこちや好みの訴え，着脱行為の自立度，衣類の清潔さ，患者の麻痺・運動障害の有無など
7. 体温の保持	環境による苦痛の訴え，体温，部屋の温度・湿度，すきま風の有無など
8. 身体の清潔保持・整容と皮膚の保護	清潔に対する価値観の表出や訴え，清潔習慣，身体の清潔状況，整容行動の自立度など
9. 危険の回避・危険防止	危険防止の知識，周囲の環境に対する訴え，環境の状態，有害な環境因子の有無など
10. 感情の表現と意思の伝達	感情の状態，現在の気分や不安の訴え，患者・家族の表情，姿勢・動作，会話の方法など
11. 信仰の実践	信仰や精神状態の訴え，宗派，信仰心の強さ，宗教上の習慣など
12. 生産的活動（職業的活動）	仕事や生きがいに関連する訴え，職業，家族関係，友人関係，社会的資源の活用経験など
13. レクリエーション活動への参加	気分，感情の訴え，1日の過ごし方，レクリエーション，趣味，不安の程度，したいことの有無など
14. 学習	疾病に関する受けとめ，健康に関する考え・価値観，生活習慣を修正しようとする意識，理解度など

⬭ 表3-22　ゴードンによるアセスメントの枠組みと項目例

機能的健康パターン	情報の項目例
1. 健康知覚-健康管理パターン	健康や病気についての考えと対処方法，日常生活習慣，既往歴，現病歴，受診状況，治療状況など
2. 栄養-代謝パターン	食習慣，栄養摂取量，栄養状態，嚥下機能，感染徴候，肥満度，血液検査データ，水分摂取状況，体温など
3. 排泄パターン	排尿・排便習慣，尿・便の性状・量，薬剤使用の有無，おむつの使用の有無，尿・血液検査データなど
4. 活動-運動パターン	基本的運動能力，日常生活活動，余暇活動，脈拍，呼吸数，血液ガス分析，血圧，握力，関節可動域など
5. 睡眠-休息パターン	睡眠・休息のとり方，睡眠時間，眠け，あくび，睡眠薬の使用の有無など
6. 認知-知覚パターン	視覚・聴覚・味覚・嗅覚・触覚・知覚の自覚と状況，疼痛の有無，記憶力の変化，学習困難の有無など
7. 自己知覚-自己概念パターン	感情，ボディイメージ，自己の長所・短所，性格，外観，身だしなみ，会話状況，気分の変化など
8. 役割-関係パターン	家族での役割，家族関係，家族との会話・表情，仕事上の役割，地域での役割，他者との関係など
9. セクシュアリティ-生殖パターン	性別，性機能，初潮・閉経年齢，結婚の有無，生殖器疾患の有無，夫婦の関係，子どもの有無など
10. コーピング-ストレス耐性パターン	ストレスの有無，生活上の問題点の有無，対処方法，サポートシステム，表情，会話状況，気分の観察など
11. 価値-信念パターン	人生の価値・目標・信念，大切なもの，宗教上の習慣など

基本的看護の構成要素	焦点化された情報 主観的情報（S）・客観的情報（O）	分析・解釈
1. 正常な呼吸		
2. 適切な飲食		
3. あらゆる排泄経路 からの排泄		
14. 学習		

○ 図 3-30　ヘンダーソンの理論の枠組みを参考にしたアセスメントシートの例

○ 表 3-23　アセスメントでの思考と具体的方法の流れ

① 患者情報をデータベースに整理する。
② 正常値・基準値，一般的状態や理論と比較し，特徴的な，あるいは逸脱している情報に注目して，アセスメントシートの「焦点化された情報」欄に転記する。
③ 転記した情報から大枠での問題状況を抽出し，「分析・解釈」欄の冒頭に記載する。
④ 問題状況がなぜ生じたかを，メカニズムや関連する理論から解釈（推論）する。
⑤ 原因や関連する情報を特定し，問題状況へとつなぎながら解釈（推論）する。
⑥ 関連・潜在する情報と問題状況をつなぎながら解釈（推論）する。
⑦ ③の問題状況を④〜⑥の解釈をもとに【看護診断】【原因・影響因子】に整理して「分析・解釈」欄に記載する。
⑧ さらに，もし問題状況を放置した場合に患者になにがおこるかを予測して記載する。
⑨ 最後に「したがって（だから）……の援助が必要である」という結論を導き出す。

アセスメントの
方法
　アセスメントでは，まず，データベースに基づいて患者の全体像をとらえられるように，情報収集を行う。

　次に，看護問題になりうる情報に焦点化して，専門的知識やこれまでの経験で得た知識を動員して，その意味や状態を**解釈**する。つまり，患者にいまなにがおきているのか，今後なにがおこりうるのかを推論する。これが**分析**である。さらにいくつもの分析結果を関連づけて，まとめて解釈する。これが**統合**である。

　これらの情報の分析・解釈・統合の思考の流れをつなぎ合わせ，「分析・解釈」の欄に記載する。この思考と具体的方法の流れの詳細を○表3-23に示す。

関連図と全体像
　なお，統合した情報は，患者の状態を理解することをたすける関連図，あるいは全体像として端的な文章にして示すとわかりやすい（○図3-31，表3-24）。関連図には，大きく2種類の書き方があり，患者の病態についてメカニズムの理解をたすける**病態関連図**と，患者の身体および心理・社会的な情

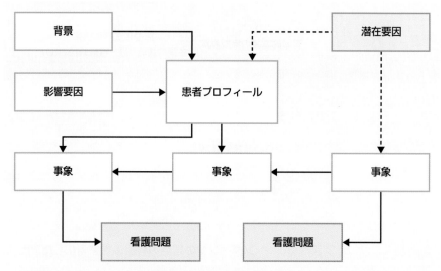

- 特徴的な身体・心理・社会的な情報を入れる。囲む枠の色やかたちを分けて書く。
- 影響要因と事象（患者の反応・症状），看護問題を線で結ぶ。
- 顕在する要因は実線で，潜在する要因は点線で描く。

◯ 図3-31　患者情報関連図の形式の例

◯ 表3-24　全体像の書き方の例

入院7日目の全体像
Aさんは60歳代の男性で，発熱と呼吸困難があり，肺気腫を合併したCOPD（慢性閉塞性肺疾患）と肺炎の治療目的で入院している。ガス交換障害の状態であり，酸素吸入と抗菌薬，気管支拡張薬の投与を行った。入院7日目に熱が下がり，ガス交換障害も改善した。しかし，医師からは，このまま頻繁に肺炎をおこすようなら，在宅酸素療法が必要になると説明を受けている。 　今後，肺気腫による呼吸困難を増悪させない生活行動と感染予防行動が必要であるが，まだトイレへの歩行やいきむときに労作時呼吸法ができていない。このままの生活行動では，頻繁に呼吸困難をおこし，かつ低栄養状態も関連して，ガス交換障害を再発しかねない。Aさんは40年以上の喫煙歴があり，これまでも禁煙を試みたが，徹底できなかった。しかし，「今回は禁煙をしなくては」と前向きな発言が聞かれている。 　（途中省略） 　また，家族内での役割遂行ができなくなり，それがAさんの精神的ストレスになる危険性がある。以上のことから，#1ガス交換障害の再発リスク，#2低栄養状態，#3非効果的患者役割遂行が生じていると考えられ，Aさんの禁煙への前向きな姿勢を考慮して援助を検討する必要がある。

　報の関連を簡潔・網羅的に理解することを助ける**情報関連図**がある。いずれも，情報の書き方や矢印の書き方にルールを決めて記載する。

　全体像には，①患者の健康な生活にかかわる現在の状態（入院の目的や優先的事項），②問題点と判断した理由・根拠と援助の方向性，患者の強みについて，身体および心理・社会的側面を網羅しつつ簡潔に書く。全体像を描くことは，チームカンファレンスの場面などで，ほかの看護師や医師に，患

者紹介や看護の方向性を伝える，あるいは相談するときに活用できる。

② 看護問題の明確化

看護過程の2つ目のステップは，看護問題の明確化である。このステップで，アセスメントの結論として導き出された問題点を明確にする。また，看護問題が複数ある場合は，より合理的に援助の効果を導くために**優先順位**の決定を行う。

問題の明確化● アセスメントの結論として導き出されたことがらを，①問題，②原因または影響因子，③診断指標の3つの視点から端的に表現し，明確化する。これは**看護診断**ともよばれる。

　①**問題**　対象者の健康上の問題，状態を簡潔明瞭に表現したもの。

　②**原因または影響因子**　対象者の健康上の問題に影響を与えた原因を表現したもの。

　③**診断指標**　対象者の状態を示す指標を表現したもの。

　たとえば，低栄養状態の患者の場合，看護診断は以下のように示すことになる。

> 問題：低栄養状態
> 原因：呼吸困難による食欲不振，食事量の減少
> 診断指標：BMI，アルブミン(Alb)値，訴え，食事摂取量

看護診断については，NANDA インターナショナル(NANDA-I)による定義と分類を参考にすることができる。1973 年以降，健康問題や生理的機能に対する，実在するあるいは潜在する人間の反応に名称がつけられてきた。現在は NANDA-I 看護診断として標準化がはかられている。

ただし，現時点では，対象者の健康状態のすべてに適切な名称がつけられ，整備されているわけではない。該当する看護診断がない場合は，自分たちで適切な表現を作成しなくてはならない。

優先順位の決定● 看護過程の展開を必要とする対象者の健康上の問題は，たいていは複雑である。そのため，看護診断も複数個になる。複数個の看護診断のなかには，身体的側面と心理・社会的側面でのケアの方向性が相反することもある。

また，限られた時間や資源のなかで，同時にケアを行うことがむずかしい場合もある。そのため，合理的にケアを行い，適切な効果を得るために，優先順位を決めることが必要になる。

優先順位は，マズローの基本的欲求の階層を参考にしつつ，対象者の希望や治療計画を考慮して決められる(●61 ページ)。通常は，次の順位となる。

(1) 生命の維持を阻害している(生理的ニード)

○ 表3-25 優先順位の修正・変更の例

入院1日目	入院7日目	入院13日目(退院前)
#1 ガス交換障害 #2 非効果的気道浄化 #3 低栄養状態 #4 活動耐性低下	#1 ガス交換障害の再発リスク #2 低栄養状態 #3 非効果的患者役割遂行	#1 非効果的患者役割遂行 #2 ガス交換障害の再発リスク #3 低栄養状態

(2) 対象者に苦痛を与えている，あるいは与えかねない(安全のニード)

(3) その人の成長・発達を妨げている(所属と愛のニード，承認のニード)

(4) その人らしさの発揮を妨げている(自己実現のニード)

　優先順位は，#(ナンバー)と数字であらわす。優先順位は，患者の状態，経過のなかで変化していく。

優先順位の例● 　たとえば，呼吸困難で入院してきた患者に対し，入院1日目の看護過程(初期計画)では，身体症状のなかで生命維持に最も強く影響する「ガス交換障害」を，優先順位が最も高いことをあらわす#1にする(○ 表3-25)。

　呼吸器症状がおさまってきたが，再発リスクのある入院7日目では，#1を「ガス交換障害の再発リスク」に修正し，「低栄養状態」もまたガス交換障害に影響を与えていることから，#2に変更する。

　入院13日目で退院のめどがたつと，心理・社会的側面である「非効果的患者役割遂行」を#3から#1に変更する。このように期日を決めて看護問題の評価を行い，修正・変更を行う(○ 170ページ)。

③ 計画立案

　3つ目のステップは計画立案である。計画立案は，看護問題を解決するために，目標を設定し，まさに実現可能性のある具体的な介入計画をたてることである。

目標の設定● 　目標の設定では，看護援助によって期待される成果を明確に記述する。目標は，看護目標と期待される成果とに分けて設定する。

　①**看護目標**　長期目標ともよばれ，対象者の目ざすべき姿をおおむねの方向性として表現したものである。期限を設定して示す。

　②**期待される成果**　短期目標ともよばれ，看護問題(看護診断)ごとに，期待される成果を示したものである。原因あるいは影響因子を操作する[1]ことで対象者に期待される行動・変化を，測定可能な表現で，期限を設定して示す。

---

1) 「操作する」とは，原因にあたる事象を変化させる・強化する・減少させる・除去する・維持することをいう。たとえば，感染予防行動や労作時呼吸法が身についていない患者の「非効果的患者役割遂行」という看護問題に対して，「感染予防や労作時呼吸法を毎日行える」という行動の変化をおこすことを表現している。

○ 表3-26 介入計画

観察計画(OP)	実際に看護を行うときに必要な観察項目をあげる。
直接ケア計画(TP)	患者に直接的に行う身体的援助(生活行動援助,医療的処置や検査の援助)と,傾聴や励まし,支持などの心理的援助をあげる。
教育計画(EP)	患者自身,家族などの関連する人々がその問題に取り組めるよう,必要な教育・指導・説明の内容をあげる。

　なお,期待される成果は,患者と共有し,ともに達成を目ざすことが可能である。一方で,患者の状態によって行動を変化させることがむずかしい場合には,「(看護師が)〜を援助する」と表現する場合もある。

> **看護目標(長期目標)**
> 　労作時呼吸法と感染予防行動を身につけ,入院前まで行っていた活動を行える自信をもって退院することができる(退院時までに)。
> **期待される成果(短期目標)**
> 　労作時呼吸法と感染予防行動を身につけ,毎日行えるようになる。
> (○月○日までに)
> 　食事の分食方法や補食方法を理解し,毎日必要なエネルギーを得ることができる。
> (1日2,000 kcal以上,○月○日までに)

介入計画● 　続いて,介入計画をたてる。介入計画は,看護師の誰が行っても同じように実施できるように,具体的で実現可能な内容にする必要がある。そのために,看護問題(看護診断)と期待される成果ごとに,**観察計画** observation plan (OP),**直接ケア計画** treatment plan(TP,実施計画),**教育計画** educational plan(EP)の3つに分けて記載する(○ 表3-26)。

　それぞれの計画について,本章B節「情報の収集と記録・報告」で紹介した「5W1H」から,Why を除いた「4W1H」で示す(○ 149ページ)。これにより,看護師間で情報を共有し,患者の個別性をいかした具体的な介入計画をたてることが可能になる。

❹ 実施

　4つ目のステップとして,対象者の反応をみながら,介入計画にそった看護援助を実施する。対象者に期待される反応や変化がみられる場合は,そのまま介入計画を実行し,設定した期限まで続行する。実施にあたっては,対象者の強みやその人らしさを十分に援助にいかすようにする。

臨床判断● 　実施においては,看護師の臨床判断に基づいて援助の変更や中止を行うこともある。**臨床判断**は,そのとき・その場の患者の変化に気づいて,分析的・直観的・状況的に解釈し,その場で考え出して行う判断である。

　　熟練した看護師がもつような臨床判断能力を准看護師の基礎的能力として求められることはないが，患者の状態の変化に気づいたらほかの専門的スタッフを呼んだり，報告・相談し，援助を続行するかどうかの指示を仰ぐという判断能力は必要である。

⑤ 評価

　　対象者への介入計画に基づく看護援助の効果を判定することが**評価**である。評価は，患者の反応・行動の変化を示す情報・データを得て，期待される成果で示した反応・行動と比較して，合致しているか，あるいはそれ以上・それ以下であるかを判断し，達成状況を判定することである。

　　さらには，期待される成果のそれぞれの達成状況をみて，長期間での反応・変化をみたときに，看護の方向性がおおむね合っていたかどうかを分析し，看護目標の達成状況を判定することでもある。看護過程の最終的なステップであり，目標達成を確認した場合は，それで終了になる。

フィードバック●　一方で，評価はフィードバックのステップでもある。期待される成果や看護目標が達成できなかった場合は，なにが原因であったかをさぐり，その原因となったステップへとフィードバックする。フィードバック後は，再び各ステップを循環する（○図 3-32）。

　　評価では，看護援助の実施および患者の反応・変化の情報・データ，ならびにその分析結果を合わせて判定した流れを記載すると論理的でわかりやすくなる。

　　実際には，看護介入の実施状況と患者の反応・変化は看護記録の経過記録に記載し，その一部を看護過程の実施・評価欄に転記する。それらを数日分，あるいは患者の反応・変化の度合いを見ながら引用して，まとめて分析し，期待される成果の達成状況を判定し，記載する。

　　看護記録を POS（SOAP 形式）（○ 152 ページ）で記載している場合の評価の記載例を○ **表 3-27** に示す。

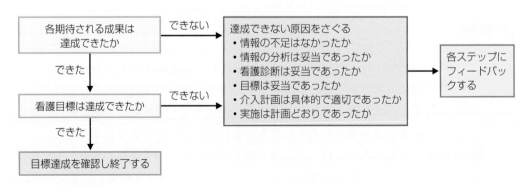

○ 図 3-32　評価の流れ

○ 表3-27 **評価の記載例**

1月22日(入院3日目)

介入計画の通りに援助を実施した。

S：「少し楽になりました。でも歩くと息が苦しいです。」

O：体温37.2℃前後で経過している。また呼吸数も多い。両下肺野ともに雑音軽度聴取される。肩呼吸はみられない。

A：S, Oから，肺炎症状・呼吸困難は改善傾向にある。ただし，微熱・肺雑音はあることから，ガス交換障害は改善していない。医師の治療指示に変更なし。

P：引き続き介入計画を続行する。7日目に再評価する。

1月26日(入院7日目)

A：酸素吸入，薬物療法が中止になったが，呼吸状態に変化がみられなかったことから，呼吸状態は改善したと判断した。ただし，もともとのCOPDにより血液ガスデータが低値であり，有効なガス交換が行われているとは言えない。したがって看護診断を修正する必要がある。

③ 看護過程の展開例

　ここでは，肺疾患のAさんの事例に基づいて看護過程の展開例を紹介する。准看護師がこのすべてを1人で実践することは少ないが，ほかの看護師と共同して看護を展開することは多い。事例から看護過程の流れを学習してほしい。

■事例　肺疾患のAさん

①プロフィール

患者：Aさん(66歳男性)，身長167 cm，体重50.3 kg

既往歴：62歳でCOPD(慢性閉塞性肺疾患)，肺気腫と診断

家族構成：妻(58歳)，長男(30歳)，実母(88歳，認知症がある)の4人暮らし

職業：現在無職，以前は営業職で60歳まで勤務

②入院までの経過

　Aさんは50歳代後半から，息切れ，疲労感を自覚していた。62歳のとき，インフルエンザで受診し精査したところ，COPDおよび肺気腫と診断された。その後，毎年冬になるとかぜをひき，長引くようになった。

　今回は，3日前から38℃台の発熱が続き，咳嗽・喀痰が増加，食欲が低下し，トイレまでの歩行でも強い息苦しさを自覚するようになった。外来を受診し，COPDおよび肺炎の合併と診断され，治療目的で入院となった。

③入院時の経過

　外来から妻に付き添われて即日入院となる。医師の指示で，酸素吸入療法(経鼻カニューレ)1.0 L/分，抗菌薬の点滴，気道粘液溶解薬と気管支拡張薬の吸入，気道潤滑薬の内服が開始された。入院時のバイタルサインは，体温(T)が38.2℃，脈拍(P)が92回/分，呼吸数(R)が28回/分，血圧(BP)が142/84 mmHg，動脈血酸素飽和度(SpO_2)94%である。

　　Aさんは「息が苦しいです」と肩呼吸し，喘鳴（ぜんめい）も聞かれる。咳嗽・喀痰も頻回にみられる。自力で寝衣に着がえたあとは，ベッド上ファウラー位で臥床している。昼食（常食1,800 kcal）は，「食欲がない」と，少し食べただけである。妻は実母の世話があるからとすぐに帰宅した。

　　医師の診療録には，「右肺下葉に肺炎様陰影をみとめる。発熱，湿性咳嗽，粘稠（ねんちゅう）性痰があり喀出困難，呼吸困難が強く，入院治療を要す」，「20歳ごろから喫煙40本/日，4年前に肺気腫と診断されたが禁煙できていない」と記載あり。入院時の動脈血液ガス検査の結果，動脈血酸素分圧（PaO_2）58.0 Torr（mmHg），動脈血二酸化炭素分圧（$PaCO_2$）45.4 Torr，動脈血酸素飽和度（SpO_2）86％，pH 7.43であった。入院時血液検査の結果は以下のとおり。

[血液検査（代表的項目のみ表示）]
白血球数（WBC）$12 \times 10^3/\mu L$，赤血球数（RBC）$380 \times 10^4/\mu L$，血色素量（Hb）14.0 g/dL，ヘマトクリット値38％，ナトリウム（Na）136，カリウム（K）4.2，空腹時血糖（FBS）88 mg/dL，CRP 3.0 mg/dL，血清総タンパク（TP）5.6 g/dL，アルブミン（Alb）3.2 g/dL

　　以下，Aさんの入院1日目の情報から看護過程を展開する。

■アセスメントの展開

データベースの●
記載例
　　入院してきたAさんの看護過程（介入計画）を考えるために，Aさんと妻からの情報収集，観察，医師の指示とカルテの確認を行い，データベースに情報を整理した（◎表3-28）。

　　なお，Aさんには呼吸困難があり，すぐに酸素吸入と抗菌薬の点滴が開始された。そのため，らくな姿勢での休息が必要と考え，観察による情報収集を中心とし，コミュニケーションによる情報収集は控えることにした。

病態と治療内容●
の理解
　　Aさんの情報をデータベースに整理し，次に焦点化したアセスメントを行うためには，疾患や病態の理解，治療内容の知識が必要である。そのために，看護師は以下のことを文献や資料で調べた。さらに医師やリーダー看護師に情報を求め，十分に理解したうえでアセスメントを行った。

- COPDの症状，病態，発生の機序（メカニズム）はなにか。
- COPDと肺炎には関連があるのか。
- 検査データ上，基準値と比較して逸脱しているデータはあるか。
- 酸素吸入がなぜ必要なのか。酸素吸入を行ううえでの留意事項はなにか。
- 抗菌薬の作用と副作用はなにか。また，点滴を行ううえでの留意事項はなにか。

● 表 3-28　A さんの入院時データベースの記載例

基本的看護の構成要素	情報（S：主観的情報，O：客観的情報）
1. 正常な呼吸	S：「息が苦しいです」 O：T 38.2℃，P 92 回/分，R 28 回/分，BP 142/84 mmHg，PaO_2 58.0 Torr，$PaCO_2$ 45.4 Torr，SpO_2 86%，酸素吸入時は SpO_2 94%，pH 7.43，咳嗽，喀痰頻回にあり。肩呼吸あり。喘鳴あり。 O：診断名　COPD，肺炎（右肺下葉に陰影）の合併。
2. 適切な飲食	S：「3 日前から食欲がないです」 O：入院後常食（1,800 Kcal）を 2 割摂取。 　　身長 167 cm，体重 50.3 kg。血液検査は TP 5.6 g/dL，Alb 3.2 g/dL，FBS 88 mg/dL，Na 136 mEq/L，K 4.2 mEq/L。
3. あらゆる排泄経路からの排泄	S：「問題ないです」 O：排尿 1 日 5〜6 回，排便 3 日に 1 回。トイレ歩行可能。
4. 身体の位置を動かし，よい姿勢を保持	S：「息苦しいけどからだの向きは自分でかえています」 O：ファウラー位で臥床しており自力で体位変更可能。
5. 睡眠と休息	S：入院前の情報なし。 O：入院後はベッド上で臥床している。
6. 適切な衣服の選択と着脱	O：休みながらも自力で寝衣に更衣できている。
7. 体温の保持	S：訴えなし。 O：入院時 T 38.2℃
8. 身体の清潔保持・整容と皮膚の保護	S：訴えなし，入院前の清潔情報なし。 O：皮膚・粘膜に異常はみられない。
9. 危険の回避・危険防止	S：訴えなし。 O：意識正常，感覚器異常の情報なし，ただし入院時 T 38.2℃ と発熱あり。
10. 感情の表現と意思伝達	S：「息が苦しくて咳が止まらない。入院できて安心した」 O：意識正常。会話内容は正確である。妻は実母の世話のためにすぐ帰宅したため話ができていない。
11. 信仰の実践	S：情報なし。
12. 生産的活動	S：情報なし。 O：（カルテより）現在無職。妻（58 歳），長男（30 歳），実母（88 歳）の 4 人暮らし。
13. リクリエーション活動への参加	S：情報なし。
14. 学習	S：情報なし。 O：（カルテより）20 歳ごろから喫煙 40 本/日，現在も禁煙できていない。

焦点化された情報の分析・解釈　次にアセスメントの枠組みの項目のうち，焦点化すべき情報を選び，その情報を整理する（➡163 ページ）。情報を焦点化するポイントは，情報の枠組み全体をみて情報量が多いこと，さらに正常範囲や基準値，一般的行動と比較して 3 つ以上の情報が逸脱している項目をあげるとよい。情報が不足している場合は，いったん保留にして，あとで情報を得ていく。

　A さんの場合では，「1. 正常な呼吸」「2. 適切な飲食」「9. 危険の回避・危険防止」に焦点化した。このうち「1. 正常な呼吸」での，焦点化さ

○ 表3-29　ヘンダーソンの理論の枠組みを参考にしたアセスメントシートの記載例

基本的看護の構成要素	焦点化された情報 主観的情報（S）・客観的情報（O）	分析・解釈
1. 正常な呼吸	S：「息が苦しいです」 O：T 38.2℃，P 92回/分，R 28回/分，BP 142/84 mmHg［入院時］，血液ガス：PaO$_2$ 58 Torr，PaCO$_2$ 45.6 Torr，SpO$_2$ 86%，pH 7.43。 O：咳嗽，喀痰頻回にあり。喘鳴あり。 O：胸部X検査上肺に陰影あり。 O：診断名　COPD，肺炎の合併。 O：治療　酸素吸入療法1 L/分，抗菌薬・気管支拡張薬投与開始。 O：カルテ情報より，20歳ごろから喫煙40本/日であり，4年前に肺気腫と診断されたが，禁煙はできていない。昨年の同時期に肺炎にて入院歴あり。	COPD は喫煙者の15〜20% に発症する生活習慣病である。喫煙により肺胞壁に炎症がおき，さらに肺胞が破壊されて肺気腫の状態になると不可逆的に呼吸機能が低下する。Aさんの場合も40年以上の喫煙が原因になっていることが考えられる。今回の肺炎合併は，COPD の進行のうえに，低栄養状態による生体防御機能の低下，季節性の体調変化により，市中感染症をおこしたものと考えられる。 　PaO$_2$，PaCO$_2$ をみると低酸素血症，高二酸化炭素血症がみられ，有効なガス交換が行われていない状態である【ガス交換障害】。また，感染性炎症のため粘稠性痰が多いにもかかわらず，COPD による労作性呼吸困難のため痰を喀出するための有効な咳嗽ができない【非効果的気道浄化】。この状態が続くと呼吸不全，心不全に移行しかねない。また，本人の不安もさらに増強するであろう。 　したがって適切な治療・療養を促し有効なガス交換への援助が必要である。

れた情報と分析・解釈の例を示す（○ 表3-29）。

関連図の作成● 　Aさんの入院1日目の情報をもとに関連図を作成する（○165ページ）。Aさんの現在の症状は急性期の症状であること，また，COPDと肺炎の合併であり，病態像が複雑であることから，病態メカニズムの理解を助ける病態関連図を中心とした関連図を作成した（○図3-33）。これにより，病態と看護診断との関連を明確にすることができ，看護の方向性を導くことができる。

■看護問題と優先順位の決定

　焦点化した情報のアセスメントと関連図をもとに，4つの看護問題を明らかにした（○表3-30）。優先順位は，「正常な呼吸」のニードに焦点をあてたうえで，生命維持に直結する順序で示した（○167ページ）。

■計画立案

　Aさんの初期計画として，看護目標をたて，4つの看護診断に対する4つの期待される成果をあげて，それぞれに介入計画をたてた（○表3-31）。

> **看護目標**
> 呼吸困難が消失してらくに呼吸できるようになり，自力で日常生活行動を行える（1週間以内）。

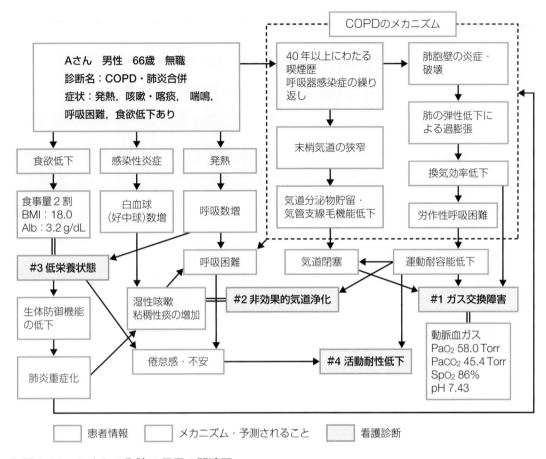

○ 図 3-33　Aさんの入院1日目の関連図

○ 表 3-30　看護問題と優先順位

#1	問題：ガス交換障害	原因	COPD の管理不足と肺炎症状の悪化
		診断指標	動脈血ガスデータの低値，呼吸困難の訴え
#2	問題：非効果的気道浄化	原因	肺炎症状の粘稠性痰の増加，運動耐容能低下
		診断指標	湿性咳嗽，粘稠性痰
#3	問題：低栄養状態	原因	呼吸困難による食欲不振，食事量の減少
		診断指標	BMI，アルブミン値，訴え，食事摂取量
#4	問題：活動耐性低下	原因	低栄養状態，倦怠感・不安，運動耐容能低下
		診断指標	ADL（日常生活活動）行動をしようとしない

■実施・評価

　介入計画に沿って援助を実施し，日々の援助と患者の反応を看護記録に記載した。

　原則として，評価日に評価を行い，介入計画通りの実施の継続か，変更か，

◯ 表3-31　Aさんの初期計画

看護問題 (看護診断)	期待される成果 (短期目標)	介入計画 (具体的な解決方法・内容)
#1　ガス交換障害 COPD管理不足と肺炎症状による	有効なガス交換を行うことができ，呼吸状態が改善する 評価：3，5，7日目	【OP】 1. バイタルサイン，呼吸状態(数・深さ・呼吸音)，SpO_2の観察 　●2時間ごとのチェック，体動時の変化を把握する 2. 低酸素血症や炎症の症状の観察 　●呼吸困難や不穏を示す訴え，意識レベル 　●胸痛の有無 3. 感染徴候の観察 【TP】 1. 薬物療法の管理 　●点滴，吸入，内服の時間および投薬管理 2. 酸素吸入療法の管理 3. 安楽な体位保持，ADL介助 【EP】 1. 症状の変化を感じたときはすぐに伝えるように話す 2. 不安を表出したときはそばにいて傾聴を心がける

◯ 表3-32　3日目と7日目の実施・評価欄の例

入院3日目	入院7日目
S：「少しらくになりました。でも歩くと息が苦しいです」 O：微熱が続いており，呼吸数多い。肺雑音軽度聴取される。 A：S，Oから肺炎症状，呼吸困難は改善傾向。ただし，微熱，肺雑音はあり。医師の治療指示に変更なし。 P：計画通り続行する。5日目に再評価する。	S：「酸素吸入したときは，そんなに重症なのかとあせりましたが，酸素がなくても動けるようになりました」，「タバコを今度こそやめます」 O：体温36.0℃台，呼吸数20回/分，肺雑音(−)，咳嗽あり，喀痰白色少量あり。酸素吸入中止の指示あり。酸素吸入中止後の動脈血ガス　PaO_2 73.0 Torr，PaO_2 43.2 Torr，SpO_2 94%。 A：平熱，呼吸苦の訴えが聞かれなかったことから，ガス交換障害は改善し，期待される成果が得られ，目標は達成できたと考える。ただし，血液ガスデータ上，酸素が十分に取り込めているとは言えない。これはCOPDによる呼吸機能低下のためであり，この状態で退院すると再度，呼吸状態が悪化する可能性は高い。したがって計画の変更が必要である。 P：AさんのCOPD自己管理への意向，退院後の生活環境，生活の仕方に関する情報を収集し，介入計画をたてなおす。

中止かを決定する(◯170ページ)。Aさんの事例では，まず3日目に評価を行い，看護過程の展開様式に記載した(◯表3-32)。

フィードバック●　評価を行い，期待される成果が十分に得られ，看護目標が達成できたことが確認できた場合は，目標を達成したと判断して終了する。もし，期待される成果が得られなかった場合は，看護過程のいずれかの段階にフィードバックする(◯170ページ)。

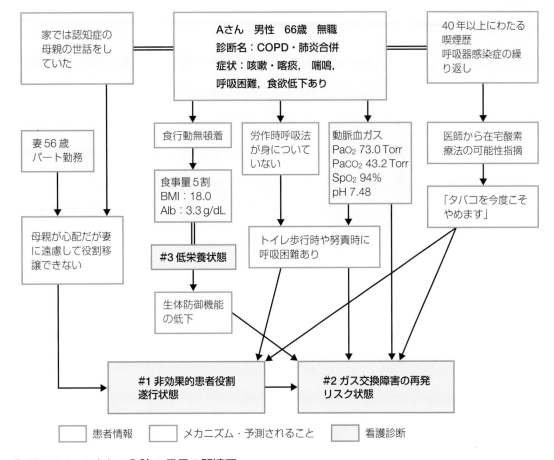

家では認知症の母親の世話をしていた

Aさん　男性　66歳　無職
診断名：COPD・肺炎合併
症状：咳嗽・喀痰，喘鳴，
呼吸困難，食欲低下あり

40年以上にわたる喫煙歴
呼吸器感染症の繰り返し

妻56歳
パート勤務

母親が心配だが妻に遠慮して役割移譲できない

食行動無頓着

食事量5割
BMI：18.0
Alb：3.3 g/dL

#3 低栄養状態

生体防御機能の低下

労作時呼吸法が身についていない

トイレ歩行時や努責時に呼吸困難あり

動脈血ガス
PaO₂ 73.0 Torr
PaCO₂ 43.2 Torr
SpO₂ 94%
pH 7.48

医師から在宅酸素療法の可能性指摘

「タバコを今度こそやめます」

#1 非効果的患者役割遂行状態

#2 ガス交換障害の再発リスク状態

患者情報　　メカニズム・予測されること　　看護診断

● 図 3-34　A さんの入院 7 日目の関連図

　A さんの事例では，入院 7 日目で呼吸状態が安定し，退院に向けた準備教育を行う時期に評価を行った（●表 3-32）。

　その結果，最初の看護目標は達成できたが，退院に向けては，新たな情報が追加され，別の看護問題が示された。そこで関連図の修正を行った（●図 3-34）。

　この関連図で示したように，退院後に療養生活を送る A さんにとっての看護問題の優先順位が，「学習する」というニードに焦点をあてたうえで，疾患の状態の安定・維持，悪化予防に対する項目として示された。これに基づいて，看護問題の明確化，介入計画，実施・評価を再び展開していく。

　このように看護問題は，つねに対象者の身体的，心理・社会的状態により変化し，優先順位もかわってくる。立案した介入計画を評価し，フィードバックすることで，個別性が強化される。この看護過程の循環によって，対象者にいま必要な看護を提供することができるようになるのである。

まとめ

- 看護過程とは，看護師が患者の健康状態や生活環境に関する情報を得て，アセスメントし，援助する内容(看護問題または看護診断)を明らかにし，計画の立案，実施，評価を行うという構成要素からなる一連の過程のことをいう。
- 看護過程の構成要素には，①アセスメント，②看護問題の明確化(看護診断)，③計画立案，④実施，⑤評価の5つのステップがある。
- 関連図には，患者の病態についてメカニズムの理解をたすける病態関連図と，患者の身体および心理・社会的な情報の関連を簡潔・網羅的に理解することをたすける情報関連図がある。
- 計画した目標を達成できなかった場合は，なにが原因であったかをさぐり，その原因となったステップへとフィードバックする。フィードバック後は，再び看護過程の各ステップを循環する。

復習問題

❶〔　〕内の正しい語に丸をつけなさい。

①アセスメントでは，看護の視点で情報を収集，分析し，対象者の健康状態とその状態が生活に及ぼしている影響を明らかにする。その際には，〔その人を全体として把握・原因となる疾患だけに注目〕して，援助の方向性を決める。

②看護問題の優先順位で，最も優先されるのは通常，〔その人らしさの発揮を妨げている・生命の維持を阻害している〕問題である。

❷ 次の用語と説明を正しく組み合わせなさい。

〈用語〉
①アセスメント
②看護問題の明確化
③計画立案
④実施
⑤評価

〈説明〉
Ⓐ 目標の設定，介入計画
Ⓑ 介入計画の実施，変化の観察
Ⓒ 目標達成の確認，修正・変更
Ⓓ 情報収集，分析・統合
Ⓔ 関連因子の明確化，優先順位の決定

答〔①　　②　　③　　④　　⑤　　〕

さくいん